Brandon Brown à la conquête de Québec

Cover and Chapter Art by Robert Matsudaira

by

Lynnette St. George

based on the original story by

Kristy Placido & Carol Gaab

edited by

Sabrina Sebban-Janczak

ISBN: 978-1-940408-13-2

TPRS Publishing, Inc., P.O. Box 11624, Chandler, AZ 85248

800-877-4738

info@tprstorytelling.com • www.tprstorytelling.com

A NOTE TO THE READER

This fictitious novel is based on fewer than 140 high-frequency words in French. It contains a *manageable* amount of vocabulary and numerous cognates (words that are similar in two languages), making it an ideal first read for beginning language students.

Essential vocabulary is listed in the glossary at the back of the book. Keep in mind that many verbs are listed in the glossary more than once, as most appear throughout the book in various forms and tenses. (Ex.: I go, he goes, let's go, etc.) Vocabulary that would be considered beyond a 'novice-low' level is footnoted within the text, and their meanings given at the bottom of the page where each occurs.

The opinions and events in this story do not reflect or represent the opinions or beliefs of TPRS Publishing, Inc. This novel is intended for educational entertainment only. We hope you enjoy reading it!

Table des matières

Past Tense Version

To read this story in present tense, please turn the book over and read from back cover.

Chapitre 1:

La Ville de Québec

Il était 9 h du soir[1]. La famille Brown est allée dans un bel hôtel[2]. Ils sont allés en vacances à Québec à l'hôtel Frontenac. L'hôtel Frontenac était situé dans la vieille ville[3]. La ville de Québec était dans la province de Québec au Canada.

[1]9 h du soir - 9:00p.m. or 9 o'clock in the evening. (In French, the hour and minute are separated with 'h' (for heure). Ex.: 9 h vs. 9:00); "a.m." and "p.m." are not used. "Du matin" is used for a.m., "de l'après-midi" for 12 p.m. to 6 p.m. (in the afternoon), and "du soir" for 6 p.m. until midnight (in the evening/at night)

[2]le bel hôtel - the resort (beautiful hotel)

[3]la vieille ville - the old part of the city

– Regarde le bel hôtel ! Il est énorme cet hôtel ! Il y a beaucoup d'activités à faire à l'hôtel Frontenac. J'veux faire toutes les activités possibles demain –s'est écrié Brandon.

Sa maman lui a répondu:

– Oui, Brandon, il y a beaucoup d'activités à faire, mais demain nous allons faire un tour en famille. Mon grand, tu comprends qu'il est impossible de faire un tour en famille et de faire toutes les activités au Frontenac.

Brandon ne voulait pas faire de tour en famille. Brandon voulait faire toutes les activités possibles à l'hôtel Frontenac.

La famille Brown est entrée dans la suite. C'était une très grande suite. À l'intérieur, il y avait deux chambres : une chambre pour les parents, et une deuxième chambre pour Brandon et sa sœur. En plus, il y avait une grande télé dans chaque chambre. Brandon voulait regarder la télé toute la nuit.

Les parents de Brandon sont allés dans leur

chambre et Brandon est allé tout de suite vers la télécommande[4].

À la télé il y avait beaucoup de films. Il y avait des films en français, en espagnol, en anglais, et en chinois ! Brandon a dit à sa sœur:

– Katie, tu veux regarder Hunger Games avec moi ?

Katie a consulté le programme.

– Non ! Je préfère regarder Frozen !

– Moi, je vais regarder des films toute la nuit ! On commence avec Hunger Games, et ensuite on regarde Frozen, d'accord ?

La maman de Brandon est entrée dans la chambre de Brandon et lui a dit :

– Non, Brandon, tu ne vas pas regarder de films maintenant, parce que demain nous allons faire le tour de la vieille ville de Québec. Nous allons aller à la station de bus à 7 h du matin. Il est nécessaire de

[4] *la télécommande - the remote control*

bien dormir ce soir.

– Mais Maman s'il te plaît ! –a crié Brandon.

– Je ne veux plus parler de films, Brandon. Va au lit tout de suite !

La maman a regardé la sœur de Brandon et lui a dit : « *Bonne nuit, Katie* » puis elle est sortie de la chambre. Katie ne lui a pas répondu. Elle était déjà endormie.

Puis, Brandon est allé vers la porte[5] de la chambre de ses parents pour les écouter. 5 minutes après, ils ne parlaient plus : ils s'étaient aussi endormis.

[5]*la porte - the door*

Brandon a regardé la télécommande avec un peu d'incertitude. Il savait qu'il désobéissait, mais... Il voulait regarder les films à la télé. Brandon s'est dit : *« Toute la famille est endormie, quel est le problème si je regarde un seul film ? »*. Alors, il a regardé « Hunger Games, Iron Man, Batman, Harry Potter VIII » ; en tout il a regardé 4 films. Puis Brandon a regardé l'heure. Il était déjà 5 h du matin[6]. *« Oh non ! »* s'est dit Brandon. *« J'ai seulement une heure pour dormir »*. Brandon est allé directement au lit et il s'est endormi tout de suite.

[6]5 h du matin - 5:00a.m. (5 o'clock in the morning)

Chapitre 2:
Les conséquences

Il était 6 h du matin, la mère de Brandon est entrée dans la chambre de Katie et Brandon. Elle a dit:

– Katie…Brandon. Il est 6 h. Réveillez-vous !

Katie s'est réveillée et a dit avec son grand sourire habituel :

– Bonjour maman !

Mais Brandon ne s'est pas réveillé. Sa maman lui a dit:

– Réveille-toi, mon grand !

Il continuait à dormir et ne se réveillait pas. Sa maman lui a touché le bras[1]; il ne s'est pas réveillé. Elle lui a touché la tête, mais il ne s'est toujours pas réveillé.

– Brandon ! Réveille-toi ! –s'est écriée sa mère.

Finalement, sa maman a crié très fort:

– Braaaaandoooooon !

Enfin, Brandon s'est réveillé.

– Qu'est-ce qui se passe ?

Brandon n'était pas content et sa maman non plus, alors elle lui a dit d'un ton sévère :

– Debout[2] ! Nous allons faire le tour de la vieille ville de Québec. Le bus part de l'hôtel à 7 h, c'est compris ?

– S'il te plaît maman, encore 10 minutes ? –lui a répondu Brandon.

[1]*le bras - the arm*

[2]*Debout - Up ! Get up ! Upright, on one's feet*

– Non. Nous allons manger dans le restaurant de l'hôtel, et puis nous allons monter directement dans le bus.

– Je ne veux pas manger. Je n'ai pas faim. Je suis fatigué.

– Réveille-toi ! Debout ! –lui a dit sa mère, d'un ton sérieux.

Brandon n'était pas du tout content. Il était très, très, très fatigué. Finalement Brandon s'est levé et il est allé aux toilettes. Il s'est dit: *« c'était une très mauvaise idée de regarder ces 4 films ! »*.

À 7 h le bus est arrivé devant l'hôtel Frontenac, et la famille Brown est montée à l'intérieur. Brandon, qui était toujours très fatigué s'est endormi. Le bus est arrivé devant le vieux port de la ville de Québec rapidement. Dans le Vieux-Port il y avait beaucoup de vieux monuments historiques. Ils ont exploré le vieux port et puis, ils sont allés vers les Plaines d'Abraham.

Là, il y avait un monument qui s'appelait La Citadelle, autre vieux monument historique. À la Citadelle, on y découvrait l'histoire de la ville de Québec et de la France. Brandon ne voulait pas descendre du bus, mais sa mère a insisté. La famille Brown allait explorer La Citadelle et allait regarder la belle vue du fleuve[3] St Laurent. Brandon ne voulait pas aller explorer. Il était fatigué et il avait mal à la tête parce qu'il avait peu dormi.

– Mamaaaaaaan. J'veux pas découvrir l'histoire de Québec et de la France. Je suis fatigué. J'ai mal à la tête.

Mais sa mère ne l'écoutait pas. Elle était contente d'aller explorer La Citadelle et d'aller écouter l'histoire de ce monument. Elle n'écoutait pas Brandon. Elle voulait aller explorer le monument et profiter[4] de la belle vue.

Il n'était pas content, mais Brandon est allé avec sa mère à La Citadelle. Il était hyper fatigué. Bran-

[3]la vue du fleuve St Laurence - the view of (the St Laurent) river
[4]profiter de - to take advantage of, to enjoy, (to profit from)

don regardait Katie qui elle, n'était pas du tout fatiguée. Au contraire, elle avait beaucoup d'énergie. Elle montait sur les fortifications avec beaucoup d'enthousiasme. Katie prenait des photos des belles vues.

– Braaaaaaaaaaandon ! –a appelé Katie–, allons-y, on y monte !

– Ahhhh ! –a répondu Brandon, qui était si frustré à cause de sa mère.

Brandon ne voulait pas monter sur les fortifications de La Citadelle. Il était fatigué et il avait mal à la tête[5]. Mais finalement Brandon et sa mère ont ex-

[5]*mal à la tête- headache*

ploré La Citadelle. Ils ont regardé la belle vue. Sa mère voulait une photo.

– Brandon, je veux une photo avec toi !

– Mamaaaan, j'veux pas prendre de photo, –a dit Brandon–. J'veux pas descendre. J'veux dormir. J'ai mal à la tête.

– Non, Brandon, –lui a répondu sa maman–. Nous allons descendre dans quelques minutes.

Brandon était complètement frustré. Sa maman a pris une photo de Katie et de son père sur les fortifications de La Citadelle. Le guide expliquait l'histoire de La Citadelle et toute la famille était fascinée par cette histoire, et par l'histoire de la ville de Québec. L'histoire de Québec était magnifique et fascinante. Mais, Brandon n'écoutait pas le guide. Il avait un mal de tête horrible ! Cela avait vraiment été une mauvaise idée de regarder ces 4 films.

Une heure après, la famille est remontée dans le bus, et Brandon s'est endormi tout de suite.

Chapitre 3:
Un homme étrange

Brandon s'est réveillé et a vu le bus qui était devant une belle fontaine. La fontaine s'appelait la fontaine Tourny. Les gens sont descendus du bus. La maman de Brandon a regardé les gens qui prenaient des photos du Vieux-Québec. Ils prenaient des photos des beaux hôtels, des monuments et de la belle architecture dans le Vieux-Québec.

– Regarde la fontaine, Brandon –a dit son

père–. Tu veux prendre une photo avec moi devant la fontaine ? C'est une très vieille fontaine historique. La fontaine est un cadeau offert par la ville de Bordeaux lors du 400ème anniversaire de la ville de Québec.

– Non, papa. J'suis fatigué. J'veux pas prendre de photo d'une fontaine. J'veux pas d' photo d'une fontaine.

– Qu'est-ce qui se passe, Brandon ? Tu n'aimes pas notre promenade en ville ?

– Papa, j'ai mal à la tête, et je suis très fatigué. Je veux remonter dans le bus. Je veux seulement dormir une heure de plus, s'il te plaît, Papa ?

Son père lui a dit:

– D'accord, Brandon, remonte dans le bus et dort un peu.

Le chauffeur n'était pas dans le bus, mais heureusement il avait laissé la porte ouverte. Un homme est monté dans le bus pendant que Brandon était en train de s'endormir. Cet homme était en train de parler au téléphone d'un ton agressif. Il ne savait pas que Brandon était également dans le bus. Il disait :

« Oui, il y en avait quatre, mais l'un d'eux s'est échappé.» Brandon écoutait la conversation attentivement. L'homme continuait sa conversation : *« J'en ai déjà tué trois, et je cherche toujours le 4ème. Calme-toi. Je vais tuer le 4ème aussitôt que possible »*. Brandon avait peur pendant qu'il écoutait la conversation. Il se demandait : *« De quoi...de qui parle-t-il ? »*.

Il s'imaginait que cet homme était un criminel, comme celui qu'il avait vu dans le film « Hunger

Games » à la télé dans la chambre d'hôtel. Plus il repensait au film, plus il avait peur.

Après cette conversation l'homme est redescendu rapidement du bus. Finalement Brandon s'est calmé et il s'est endormi. Il n'a entendu ni les touristes qui remontaient dans le bus ni le bruit du moteur parce qu'il dormait comme un bébé.

Quand Brandon s'est réveillé, il n'a vu ni les autres passagers ni sa famille. Le bus n'était plus devant la fontaine. Heureusement, le chauffeur, lui était dans le bus.

Brandon l'a vu manger un sandwich. Il a vu son sandwich et ça lui a donné faim. D'ailleurs, il n'était plus fatigué, il n'avait plus mal à la tête, il avait seulement faim.

– Enfin, tu t'es réveillé –lui a dit le chauffeur.

– Oui –a répondu Brandon–. Où sont les gens ? Où sommes-nous ?

– Nous sommes sur l'île d'Orléans. Ton groupe est en train de manger dans ce restaurant. C'est un restaurant très connu. Il s'appelle Mona et Filles. Tu le vois ? Il est juste devant le bus.

– Oui –a répondu Brandon, un peu timidement.

Puis, Brandon est descendu du bus et il est entré dans le restaurant. Il cherchait sa famille à l'intérieur, mais il ne l'a pas vue. Il a vu beaucoup de touristes américains, mais il n'a pas vu sa famille.

Alors, Brandon est allé dans les toilettes. Il y a cherché son père. Mais son père n'y était pas. Il continuait de chercher sa famille. Il était un peu nerveux. Il s'est demandé où était passée sa famille.

Il y avait une autre famille qui mangeait dans ce

restaurant. Dans cette famille il y avait une maman, un papa et un garçon. La mère de famille a remarqué que Brandon était sans sa famille. La maman lui a dit : « Bonjour ! ». Brandon était très nerveux. Il lui a répondu :

– Bonjour !

– Ça va ? –la maman lui a dit.

– Oui, ça va bien, mais je cherche ma famille. Ils sont probablement dans le bus. Je vais les chercher.

Brandon est allé vers le bus et il est remonté dedans. Tous les touristes sont remontés aussi, mais la famille de Brandon n'était toujours pas dans le bus. Brandon était de plus en plus nerveux.

– Où allons-nous ? –a-t-il demandé au chauffeur.

– Nous allons faire un tour de toutes les petites fermes[1] et boutiques, et puis nous allons rentrer à l'hôtel Frontenac.

[1]*fermes - farms*

Brandon n'a pas vu sa famille parmi[2] le groupe de touristes américains. Il a vu que la mère de famille qui lui avait parlé dans le restaurant était aussi montée dans le bus. Quand Brandon a vu cette famille, il s'est calmé un peu. Il s'est dit : « *Je pense que mes parents ont préféré marcher et prendre des photos, alors ça va ! Je vais certainement retrouver ma famille à l'hôtel Frontenac en fin de visite.* »

[2]*parmi - among*

Chapitre 4:
Un nouvel ami pour Brandon

Pendant qu'il était dans le bus Brandon continuait à se parler à lui même[1]. Il pensait à sa famille et il se demandait : *« Où sont-ils ? Pourquoi est-ce qu'ils ne sont pas dans le bus ? »*. À présent Brandon n'était plus fatigué parce qu'il avait un peu dormi, mais il était toujours aussi nerveux ! À l'intérieur du bus il a revu la même famille qu'il avait déjà vue dans le restaurant, et il s'est demandé si c'était une bonne idée d'expliquer la situation à cette maman.

[1]*à lui même - to himself*

Brandon est allé en direction des toilettes. Sur la porte il y avait un signe qui disait : « occupé ». Deux minutes plus tard, un homme est sorti des toilettes. C'était l'homme qui avait parlé au téléphone dans le bus. L'homme a regardé Brandon d'un air suspect. Il ne lui a pas parlé, mais il l'observait attentivement.

Brandon avait peur de cet homme, et il n'était pas content qu'il l'observe. Il s'est dit : *« Cet homme a déjà tué 3 personnes, est-ce qu'il va me tuer, moi aussi ? »*. Brandon est entré rapidement dans les toilettes pour échapper à cette situation.

Quelques minutes plus tard Brandon est sorti des toilettes et un autre garçon y est entré. C'était le fils de la famille qu'il avait rencontré dans le restaurant. Brandon a cherché le méchant homme. Il avait vraiment peur de lui. Il ne voulait pas voir cet horrible monsieur.

Puis le garçon est sorti des toilettes et il a vu Brandon. Il a remarqué que Brandon était seul.

– Bonjour ! –a dit le garçon à Brandon.

– Bonjour ! –lui a répondu Brandon–. Ça va ?

– Oui, ça va !... Es-tu seul ?

– Non, je ne suis pas seul, je suis avec ma famille, mais ils préfèrent marcher. Ma famille aime prendre beaucoup de photos de tout et de rien !

– Ah ! –lui a répondu le garçon.

– Où va t-on ? –lui a demandé Brandon.

– Nous allons faire le tour de l'île d'Orléans. Le guide nous a dit qu'il y avait beaucoup de choses à voir, mais moi, ça m'intéresse pas !

– Ta famille est probablement dans l'autre bus. –a dit le garçon.

– Il y a un autre bus ? –lui a demandé Brandon.

– Oui, il y a un autre bus, derrière. –lui a répondu le garçon.

Finalement ils sont arrivés devant une ferme dans le premier village qui s'appellait Sainte-Pétronille, et le garçon a dit à Brandon :

– Descendons du bus, et partons à l'aventure !

Brandon est descendu du bus avec le garçon. Il s'appelait Justin et il avait 12 ans comme Brandon. Justin n'avait pas de sœur. Justin aimait beaucoup les aventures, et il ne voulait pas faire cette visite guidée non plus. Pour lui, les visites guidées étaient pour les vieux. Mais, une aventure avec Brandon, ça c'était bien plus amusant !

– Maman, est-ce que je peux aller faire la visite avec Brandon, s'il te plaît ? –a demandé Justin poliment.

Sa maman a regardé Brandon et lui a répondu :

– Pourquoi pas, ton ami me semble respectueux. Justin, il y a 6 villages à visiter dans cette île, on se donne rendez-vous[2] au dernier village dans 3 heures. Amusez-vous bien !

Finalement, Brandon s'est calmé un peu. Il était content à l'idée de partir à l'aventure avec Justin.

[2]*on se donne rendez-vous - let's meet (up)*

Faire le tour de l'île avec les vieux[3], ça, ce n'était pas amusant.

– Nous allons bien nous amuser ! Les visites c'est pour nos parents, pas pour nous ! –a dit Justin.

Brandon était content à l'idée de s'aventurer seul avec Justin. Il ne pensait plus à ses parents pour le moment. Maintenant les deux garçons étaient seuls et indépendants. Ils allaient avoir une super aventure… Pendant ce temps le méchant homme observait tout d'un air suspect, et écoutait les conversations des garçons en secret.

[3]*les vieux - older people*

Chapitre 5:
Les aventuriers

L'île d'Orléans était divisée en 6 villages : Sainte-Pétronille, Saint-Pierre, Saint-Laurent, Sainte-Famille, Saint-Jean et Saint-François. La visite guidée a commencé dans le village de Sainte-Pétronille. Brandon et Justin étaient libres. Youpi ! Ils couraient partout : dans les fermes, les boutiques, les restaurants, & les clubs de sports. Tout à coup une odeur les a attirés. C'était une odeur de chocolat, miam miam ! En fait, cette odeur sortait de la fameuse chocolaterie de

Sainte-Pétronille.

– C'est du chocolat cette odeur ?

– Oui, je pense ! Tu as faim ?

– J'ai un peu faim –a dit Brandon–. Regarde ! Il y a une chocolaterie, on y va ? –Brandon a continué.

– Bonne idée ! J'aime bien le chocolat, allons-y ! –a dit Justin.

Et soudain, Brandon a revu le méchant homme. Il continuait de les observer et d'écouter leurs conversations. Brandon et Justin ne voulaient pas voir cet homme.

– Regarde-le, –a dit Brandon–. Il est très bizarre ! Il a l'air méchant. Il nous observe. Je ne l'aime pas du tout. Allons-nous cacher dans la chocolaterie.

Les deux garçons continuaient de marcher vers la chocolaterie et ils n'ont plus vu le méchant homme. Ils étaient contents.

Puis, ils sont entrés dans la chocolaterie. Le méchant homme n'était pas en route vers la chocolaterie, les garçons ont vu une pancarte[1] avec beaucoup d'informations historiques, mais les garçons n'étaient pas impressionnés par l'histoire de l'île. Ils avaient faim. Ils voulaient du chocolat.

L'histoire de l'île ne les intéressait pas. Les artistes, les activités, et manger du chocolat, ça c'était plus intéressant !

Il y avait beaucoup de touristes dans la chocolaterie. La chocolaterie s'appelait la Chocolaterie de l'île d'Orléans. Les garçons voulaient manger du chocolat. Il y avait une fille avec un plateau à la porte qui offrait des morceaux de chocolat aux gens qui entraient. Les chocolats étaient délicieux et beaux à regarder. Justin et Brandon ont pris deux morceaux

[1]*une pancarte - a sign*

de chocolat chacun. Tout était délicieux dans cette chocolaterie. Les gens à l'intérieur mangeaient toutes sortes de chocolats. Il y avait même du chocolat chaud. Miam !

Brandon n'a pas mangé beaucoup de chocolat. Pour manger beaucoup de chocolat, il fallait payer. Brandon ne voulait pas payer, il voulait seulement manger du chocolat gratuitement.

Dans la chocolaterie, Justin a commencé tout à coup à causer des problèmes. Il a imité les gens qui étaient là. Il a imité leurs gestes et leurs mouvements.

Les gens l'ont vu et ils se sont fâchés. Ils n'appréciaient pas ses imitations. Un homme s'est approché de Justin et lui a dit : *« Stop ! N'imite pas les gens dans ma chocolaterie. Tu as le choix : soit tu manges du chocolat, soit tu sors de ma chocolaterie, c'est clair ? »*. Les garçons ont repris[2] du chocolat et sont vite sortis de la chocolaterie.

Brandon ne voulait pas causer de problèmes.

– Allons-y ! –il a suggéré nerveusement.

– Oui, il y a beaucoup de gens dans la chocolaterie –Justin lui a répondu.

Soudain, Brandon s'est écrié :

– Regarde! Le bus part, montons vite !

Les deux garçons sont montés en vitesse dans le bus. Le méchant homme était déjà dedans et il les regardait bizarrement. Le bus a pris la route vers St-Pierre, le 2ème village de la visite guidée.

[2]*repris - took again*

Chapitre 6:
Une mauvaise influence

Brandon et Justin discutaient de leurs aventures dans le bus. Ils discutaient des possibilités qui existaient à Saint-Pierre. Brandon et Justin parlaient de leurs futures aventures en route vers Saint-Pierre. Tout à coup, les garçons ont entendu un bruit horrible et le bus s'est arrêté brusquement. Il était évident que le bus avait un problème mécanique.

Le chauffeur a pris le micro et a annoncé : « *le bus a un problème mécanique, mais je vais téléphoner à un mécanicien pour le faire réparer*[1]. »

[1]*le faire réparer - to have it repaired; to get it repaired*

Puis le mécanicien est arrivé pour faire la réparation et les touristes sont descendus. Ils sont entrés dans un restaurant mais Brandon et Justin ne voulaient pas y aller. Ils préféraient explorer Saint-Pierre seuls.

Les deux garçons ont vu beaucoup de mouvement autour de l'étang[2]. Ils ont vu un groupe d'hommes qui pêchaient[3]. Les hommes criaient : *« Whoooaaaa »* quand ils voyaient de grosses truites[4] ! Et les hommes pêchaient pas mal de

[2]*l'étang - the pond*
[3]*pêchaient - were fishing*
[4]*truites - trouts*

truites !

L'étang de la Pêche à la truite était un endroit très populaire à Saint-Pierre. Les hommes de Saint-Pierre et les touristes allaient souvent à cet étang pour pêcher la truite. Justin et Brandon se sont approchés des pêcheurs pour regarder les truites. Brandon voulait pêcher, mais il fallait payer pour pêcher dans cet étang. Les hommes ont attrapé beaucoup de truites. Justin s'est approché pour bien voir les truites. Finalement, Justin a pris une des truites pour bien la regarder. L'homme a crié après Justin : *« Hé hé ! C'est ma truite ! Ne touche pas à ma truite! »*.

Justin s'est moqué de l'homme d'un ton sarcastique : *« C'est ma truite ! Ne touche pas à ma truite ! »*. Brandon aimait bien les imitations de Justin. Brandon pensait que Justin était un garçon comique, mais les hommes, eux, ne pensaient pas que Justin était comique. Les hommes n'aimaient pas du tout les imitations de Justin. Les hommes ont crié après les garçons : *« Allez-vous en! Partez d'ici ! »*.

Les hommes ont couru après les garçons pour les attraper, mais les garçons se sont échappés et ont couru vers une rivière. Une fois arrivés à la rivière, les garçons ont décidé de pêcher eux aussi. Justin et Brandon sont entrés dans la rivière et ont pêché avec les mains[5]. Ils ont crié très fort et ont imité les hommes : *« Whoooaaa, regarde ma grosse truite ! »*. Ils n'ont pas attrapé de truites, mais ils étaient contents.

Brandon avait un peu faim, mais il ne l'a pas dit à Justin. Brandon voulait voir sa famille, mais il ne l'a pas dit à Justin non plus. Brandon aimait passer

[5]*mains - hands*

du temps avec son nouvel ami, mais il voulait aussi retrouver sa famille. Il ne voulait pas l'admettre à Justin.

Soudain Brandon a vu une pancarte qui disait :

DANGER !
DÉFENSE DE
NAGER DANS
LA RIVIÈRE

Brandon a dit à Justin :

– Sortons de la rivière ! Regarde la pancarte, c'est dangereux !

Brandon est sorti de la rivière très vite. Il a crié *« Justin »* très fort. Justin n'a pas écouté Brandon, il voulait rester dans la rivière.

– Je veux rester dans la rivière, c'est amusant –a-t-il crié à Brandon !

Soudain, le méchant homme a crié après les garçons parce qu'il était irrité :

– Vite ! Le bus part, montez vite dans le bus !

Justin a décidé d'écouter le méchant homme et il est sorti de la rivière. Brandon et Justin ont vite couru vers le bus et sont arrivés juste à temps.

Comme Brandon avait une grande imagination il se demandait si le méchant homme voulait vraiment le tuer. Il s'est dit : *« Veut-il vraiment me tuer ? Est-il possible qu'il ait tué ma famille ? Les a–t-il tués ? »*.

Chapitre 7:
La Forêt des érables

Le bus a continué sa route vers l'autre village. Le méchant homme continuait d'observer les deux garçons.

– Pourquoi est-ce que cet homme nous regarde ? Je n'aime pas ça.

– Oui, moi non plus –a dit Justin.

– Il est très bizarre, n'est-ce pas ?

Finalement, le bus est arrivé devant une cabane à sucre[1]. Tous les touristes sont descendus et se sont

[1]*cabane à sucre - maple (sugar) shack*

mis en groupe. *« Que faisons-nous maintenant ? »*, s'est demandé Brandon. *« Je veux rentrer à l'hôtel. Je veux voir ma famille »,* se disait-il. Au même moment, une personne a parlé au groupe et a dit : *« Je suis le guide de la visite de la cabane à sucre. »*

– Encore une autre visite? –s'est écrié Brandon irrité.

– Ah, non ! –a dit Justin.

Le méchant homme a regardé Brandon et Justin. Maintenant Brandon ne parlait plus. Il avait réellement peur de cet homme. Il était clair que cet homme n'aimait pas Brandon. Le guide a continué à parler au groupe d'un ton autoritaire et sérieux :

« Il faut faire très attention aux érables. La forêt et les arbres sont protégés. Il ne faut absolument pas grimper aux arbres. C'est compris ? Vous pouvez les regarder, mais ils sont délicats alors, il faut les respecter ! Il faut obéir, c'est compris ? S'il vous plaît mesdames, messieurs, respectez ce que je vous dis. Et, je le répète, que personne ne grimpe aux érables ! ».

Le méchant homme a regardé les deux garçons d'une manière exaspérée. Il était clair que les deux garçons n'écoutaient pas le guide. Il était clair qu'ils ne respectaient pas les règlements importants, non plus.

– Regarde cet homme. Pourquoi est-ce qu'il nous regarde tout le temps ? –Brandon a demandé à Justin.

– C'est parce qu'il est bizarre –lui a répondu Justin.

– J'veux pas faire cette visite. Est-ce que tu veux faire un tour dans la forêt ? Allons-y !

Alors, Les deux garçons sont allés dans la forêt pour faire des explorations mais aussi pour se cacher de cet homme qui les observait tout le temps. Ils se sont avancés un peu et ils n'ont pas vu que l'homme était derrière eux. À l'entrée de la forêt il y avait une pancarte qui disait :

LES ARBRES DANS CETTE
FORÊT SONT DÉLICATS.
DÉFENSE D'Y GRIMPER !

Dans la forêt ils ont vu beaucoup de choses ; des plantes et des fleurs intéressantes, des escargots, et de beaux petits cailloux[2].

[2]*cailloux - stones*

LES ARBRES DANS CETTE
FORÊT SONT DÉLICATS.
DÉFENSE D'Y GRIMPER !

– Grimpons sur les rochers, là. On fait comme si on était gardes forestiers[3], d'accord ? –a dit Justin à Brandon.

Alors, les garçons ont grimpé sur les rochers. Ils ont fait comme s'ils étaient gardes forestiers et ils ont ramassé des objets intéressants. Ils n'ont même pas remarqué que le méchant homme les suivait en secret.

[3]*gardes forestiers - forest rangers*

Maintenant, ils avaient accumulé beaucoup d'objets de la forêt. Tout à coup ils ont vu des seaux[4] qui pendaient des érables. Justin a dit :

– Courons vers les seaux pour voir ce qu'il y a dedans ! Et le dernier arrivé embrasse le méchant homme !

Les garçons ont vite couru vers les érables. Justin et Brandon sont ar-

[4]*seaux - buckets/pails*

rivés aux arbres et ont regardé ce qu'il y avait dans les seaux. Ils ont vu un liquide transparent qui ressemblait à de l'eau. Justin a mis le doigt dans le seau pour goûter[5] ce liquide.

– C'est du sirop d'érable ! –s'est écrié Justin.

– Laisse-moi le goûter –a dit Brandon–. C'est bon, miam miam ! –s'est écrié Brandon.

Les garçons ont couru partout dans la forêt et n'ont pas vu que le méchant homme regardait tout en secret.

[5]*goûter - to taste*

Chapitre 8:
Les voyous[1]

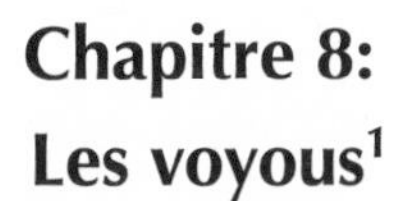

Justin et Brandon ont vu beaucoup d'érables autour d'eux. Quelle chance ! Ils ont vu qu'on recevait le sirop d'érable dans les seaux qui pendaient des arbres. Les garçons étaient fascinés par ce système.

Brandon s'est demandé si c'était une bonne idée de prendre du sirop sans en avoir la permission. Brandon et Justin voulaient boire du sirop d'érable. Brandon a remarqué que le vrai sirop, celui qu'on

[1] *voyous - hoodlums*

trouve au supermarché, était plus sucré parce qu'il était bouilli[2]. L'eau s'était évaporée et le sirop était plus concentré et bien plus délicieux.

Soudain, Justin a eu une idée géniale pour faire du vrai sirop d'érable. Il s'est rappelé d'un clip qu'il avait vu sur You Tube. Le clip montrait comment provoquer un feu à l'extérieur d'une maison avec une loupe[3]. Alors, il a sorti une loupe de sa poche, et il a pris un seau et des petites branches. Puis, il a mis sa loupe entre les branches et le soleil.

– Qu'est-ce que tu fais ? –lui a demandé Brandon.

Tout à coup, voilà ! Il y a eu une petite flamme parmi les branches et Justin lui a dit :

[2]*bouilli - boiled*

[3]*loupe - magnifiying glass*

– Wow ça marche ! C'est magique !

Tout à coup, il y a eu une grande flamme, puis deux..., puis trois..., puis quatre..., et vlan ! Voilà l'incendie[4]! Les touristes sont arrivés et très vite la panique s'est installée ! Les deux garçons ne savaient pas quoi faire. Justin a suggéré :

– Grimpons aux arbres pour nous cacher !

– Non ! Je ne veux pas ! Il faut qu'on trouve un adulte ! –a dit Brandon.

Brandon ne voulait pas grimper aux arbres avec Justin. Pour Brandon, l'idée de grimper aux arbres était une mauvaise idée. Mais soudain, les garçons ont entendu des gens qui arrivaient près d'eux. Ils ont eu

[4]*l'incendie - fire*

peur. Brandon et Justin ont grimpé dans un arbre pour se cacher.

En montant ils ont fait tomber deux seaux. Ils n'ont pas remarqué que le méchant homme voyait tout. Pauvre Brandon, Il a eu peur. Il était complètement paralysé par la peur. Il ne voulait pas descendre. Il était bloqué.

Quelle malchance ! Les gens ont vu les seaux par terre et ils ont vu Brandon et Justin perchés dans l'arbre. Les touristes criaient : *« Descendez de là voyous, immédiatement ! »*.

Brandon ne voulait pas causer de problèmes. Il ne s'imaginait pas qu'une loupe et un peu de soleil causeraient tant de problèmes.

Chapitre 9
L'arrestation

Un homme s'est approché de l'arbre... c'était le méchant homme ! Il a grimpé à l'arbre pour aider Brandon. Il voulait l'aider à descendre.

Brandon ne voulait pas prendre la main de cet homme. Il avait peur. Finalement, Brandon a accepté et lui a pris la main pour descendre petit à petit. Justin est descendu aussi. Quand il est arrivé par terre il s'est trouvé face à face avec deux policiers. Un des policiers a pris le bras de Justin ; l'autre a pris le bras de Brandon.

Les policiers et les garçons sont allés au poste de police. Les deux garçons avaient peur. Ils étaient tous les deux terrifiés ! Les deux garçons ont marché avec les policiers. Puis, ils sont montés dans la voiture de police et ils sont partis de l'île d'Orléans.

Brandon a regardé Justin et lui a demandé :

– Vont-ils nous arrêter ?

– Brandon tu as été très irresponsable avec

tes idées ! –s'est exclamé Justin.

Choqué, Brandon s'est exclamé :

– MES IDÉES !?!?

– Taisez-vous ! Ne parlez plus ! –a crié le méchant homme.

Ils sont arrivés au poste de police. Brandon avait très peur ! Le méchant homme a dit aux policiers : « *Je vais chercher leurs parents* » et il est sorti. Dix minutes plus tard, le méchant homme est entré dans le poste de police avec les parents de Justin.

– Les garçons ont causé beaucoup de problèmes pendant ma visite ! Ils ont irrité beaucoup de personnes et ils n'ont pas du

tout respecté les ordres du guide. L'incendie a presque détruit l'un des érables ! On ne veut pas de voyous ici.

– Nous ne sommes pas des voyous, c'est lui le criminel, pas nous. Il a tué trois personnes ! –a dit Brandon en tremblant de peur.

– C'est complètement faux et ridicule, quelle imagination tu as mon grand ! Les seules choses que j'ai tuées sont des serpents à sonnette, pas des personnes. Moi, j'offre une superbe visite aux touristes respectueux et non pas aux voyous ! Personne ne veut passer de journée avec des enfants mal élevés. Des garçons comme ça n'aident pas mon business.

Le papa de Justin l'a regardé et lui a demandé :

– Justin… est-ce que c'est vrai tout ça ?

Justin a regardé son père et lui a dit :

– Toutes les mauvaises idées étaient celles de Brandon !

Sa maman l'a regardé tendrement et l'a embrassé sur le front. Puis elle a jeté un regard furieux sur Brandon.

Brandon aussi était furieux, mais il n'a rien dit à personne. Justin et sa famille ont marché vers la porte et ont laissé Brandon seul. Le méchant homme a regardé Brandon et lui a demandé :

– Ne vas-tu pas aller avec ta famille ?

La maman de Justin était choquée ; elle a interrompu la conversation et elle a dit :

– Ah ! Brandon n'est pas un membre de notre famille. Brandon est seulement l'ami de Justin.

Brandon était embarrassé et il n'a regardé personne. Le méchant homme était un peu choqué aussi, alors il a demandé à Brandon :

– Comment t'appelles-tu ?

L'homme a regardé la liste des participants de la visite guidée. Brandon n'était pas sur la liste. Brandon avait peur et il a regardé le méchant homme, mais il ne lui a pas répondu. À ce moment, Brandon a tout compris. En réalité l'homme n'était pas méchant ; c'était le responsable du groupe.

Soudain, le chauffeur du bus est entré dans le poste de police et a annoncé : *« Il faut partir, c'est l'heure de rentrer à L'hôtel Frontenac. »* Justin, ses parents, et le représentant de la visite guidée sont sortis. Pauvre Brandon, il est resté seul avec les policiers. Brandon avait très peur ; il était seul au poste de police. Un des policiers lui a demandé d'un ton autoritaire :

– Où sont tes parents ?

Brandon avait l'impression d'être dans un film policier, il était nerveux et il s'est demandé :

– C'est un interrogatoire ?

Brandon ne voulait pas aller en prison ! Brandon voulait voir ses parents ! Finalement, les parents de Brandon sont entrés dans le poste de police. Quand il les a vus il s'est mis à pleurer. Il n'arrivait pas à se

contrôler. Il pleurait comme un bébé. Contrairement à la maman de Justin, la maman de Brandon ne l'a pas embrassé. La police a expliqué le fait que Brandon avait grimpé aux arbres et il n'avait pas respecté le guide. C'était une infraction grave. Brandon n'avait pas de réponse. Il savait qu'il avait causé des problèmes. Il avait grimpé aux arbres. Il n'avait pas respecté le guide. Il était désolé et il était triste.

Un policier a regardé Brandon et a dit:

– Je vois que Brandon est un garçon qui se repent beaucoup. Était-ce une mauvaise décision ?

Puis il a dit à Brandon:

– Tu promets de ne plus grimper aux arbres ?

– Oui, je le promets !

– Excellent ! Rentre à l'hôtel Frontenac avec ta famille –a dit le policier.

– Merci, je promets que je respecterai les règlements ! –lui a répondu Brandon.

Brandon et ses parents sont sortis du poste de police en silence.

Chapitre 10:
Les surprises

La famille de Brandon a passé sept jours entiers dans le bel hôtel. Tout s'est bien passé et il n'y a plus eu de problèmes !

Le jour où la famille est sortie de l'hôtel Frontenac, le papa de Brandon a regardé la facture et s'est dit : *« Films - $50.80 ?! »*. Il était très fâché.

Hotel Frontenac
facture finale

Date d'arrivé - 10 mars

Date de départ - 16 mars

tarif journalier - $139 x 7 = $973

4 films - $50,80

10 mars: Hunger Games - $12,70

10 mars: Iron Man - $12,70

10 mars: Batman - $12,70

10 mars: Harry Potter - $12,70

sous-total - $1023,80
taxe 10% = $102,38

Montant Total - $1126,18

– Braaaaandon ! –a crié son papa–. Tu as regardé 4 films le soir où nous sommes arrivés à l'hôtel Frontenac ? Je comprends maintenant pourquoi tu étais si fatigué pendant la visite ! Tu as causé tous ces problèmes parce que tu as regardé ces films !!

– Pardon papa. Je suis désolé. Maman avait raison, c'était pas une bonne idée de regarder ces films. C'était irresponsable de ma part. C'était une mauvaise idée.

– Oui, Brandon, tu as été très irresponsable. –lui a dit son papa, très irrité.

Puis, la famille de Brandon s'est préparée à sortir de l'hôtel. Cinq minutes plus tard, le chauffeur de l'hôtel est arrivé. Les gens sont montés dans le bus et le bus est parti. Brandon a vu que la famille de Justin était dans le bus ! Quelle coïncidence ! La maman de Justin s'est exclamée :

– Brandon, Super ! Tu as retrouvé ta famille !

Elle a regardé la maman de Brandon et a continué :

– Pardon, je suis désolée pour les problèmes que les garçons ont causé dans toute l'île d'Orléans pendant notre visite. Ha les garçons !

– Dans toute l'île ? –s'est exclamée la maman de Brandon, choquée–. Brandon n'a pas parlé d'autres problèmes ! Il a grimpé aux arbres… mais de quels autres problèmes parlez-vous ?

La maman de Justin avait un document en main. C'était le document du responsable de la visite guidée. Elle l'a donné aux parents de Brandon.

Tours Vieux Québec

2715 boul. Louis-XIV - Québec, Qc, Canada, G1C 5S9
Par téléphone: 555-555-5555
Notre ligne sans frais 1-800-555-5555
Par télécopieur: 555-555-5555
Par courriel: informations@toursvieuxquebec.com

Nous vous informons par cette lettre que votre famille ne sera plus autorisée à voyager sur notre Compagnie Tours Vieux Québec. Votre fils Justin et son ami Brandon n'étaient pas suffisamment surveillés et ont posé beaucoup de problèmes : ils

- se sont moqués des gens à l'intérieur de la chocolaterie.
- ont dérangé les pêcheurs dans l'étang à truites.
- ont nagé dans la rivière.
- ont mis le feu dans la forêt et ont causé un incendie.
- ont grimpé aux érables.
- ont manqué de respect envers le guide.

En bref, votre famille a perdu tous les privilèges qu'offre Tour Vieux Québec.

Cordialement,

Monsieur Dylan Saint-Michel

Responsable d'activités, Tour Vieux Québec

Quand ses parents ont vu la liste des infractions Ils se sont fâchés. Brandon était très nerveux !!! *« Je serai probablement privé de télé pendant longtemps ! »,* a-t-il pensé. Les parents de Brandon ont lu la lettre et ont jeté un regard furieux sur Brandon et ont crié :

– Braaaaaaandon !!!

Glossaire

à - to, at
a - has (s/he)
absolument - absolutely
accepté - accepted *(adj./pp)*
accumulé - accumulated *(adj./pp)*
activités - activities
admettre - to admit
adresse - address
adulte - adult
agressif - agressive
ai - have (I)
aider - to help
allé - went *(adj./pp)*
allait - was going
aller - to go
allez - you *(pl.)* go
allons - we go
alors - so, then
aimait - liked (s/he)
aime - like(s)
ami(e) - friend
américain - American
amusant - funny
amuser - to have fun
amusez-vous - you *(pl.)* have fun
anglais - English
anniversaire - birthday
annoncé - announced *(adj./pp)*
ans - years
appelé - called *(adj./pp)*
approché - approached *(adj./pp)*
après - after
arbre - tree
arrivait - was arriving
arrivé - arrived *(adj./pp)*
arrêté - stopped *(adj./pp)*
arrêter - to stop
artistes - artistes
as - have *(you fam.)*
attention - watch out, attention
attentivement - attentively
attiré - drawn, attracted *(adj./pp)*
attrapé - caught *(adj./pp)*
attraper - to catch
au - to the
aussi - also
aussitôt - as soon as
autorisé - authorized *(adj./pp)*
autoritaire - authoritative
autour - around

autre - other
aux - to the; at the
avaient - had; were having (they)
avait - had; was having (s/he)
avancé - advanced *(adj./pp)*
avec - with
aventure - adventure
avoir - to have
bébé - baby
beaucoup - a lot
beau(x) - handsome, beautiful
bel(s) - handsome, beautiful
belle(s) - beautiful
bien - well
bizarre - strange, odd
bizarrement - strangely, oddly
bloqué - stuck, blocked *(adj./pp)*
boire - to drink
bon - good *(m.)*
bonjour - hello
bonne - good *(f.)*
bouilli - boiled *(adj./pp)*
boutiques - shops
bras - arms
bref - briefly
bruit - noise
brusquement - abruptly, suddenly
cabane - cabin
cacher - to hide
cadeau - gift, present
cailloux - pebble, stone
calmé - calmed *(adj./pp)*
calme - calm
causé - caused *(adj./pp)*
cause - cause
causer - to cause
causeraient - would cause (they)
ce - this
cela - that
celle(s) - the one(s) *(f.)*
celui - the one (m.)
certainement - certainly
ces - these
c'est - it is
cet - this (before a masculine singular noun that begin with a vowel) ex : cet été
c'était - it was
cette - this *(before a feminine singular noun)* [ex : cette fille]
chacun - each one
chambre - bedroom
chance - luck
chaque - each
chaud - hot

chauffeur - driver
cherché - searched for *(adj./pp)*
cherchait - was looking for; was searching for
cherche - looking for; searching for
chercher - to look for; search for
chinois - Chinese
chocolaterie - chocolate shop
choix - choice
choqué - shocked *(adj./pp)*
choses - things
cinq - five
clair - clear
célèbre - famous
comique - funny
comme - as; like
commencé - started *(adj./pp)*
commence - starts
comment - how
commissariat - police station
compagnie - company
complètement - completely
comprends - I understand
compris - understood *(adj./pp)*
concentré - concentrated; condensed*(adj./pp)*
coïncidence - coincidence
connu - known *(adj./pp)*
consulte - consults
content(e) - happy
continue - continues
continuait - was continuing
contraire - opposite
contrairement - contrary to; unlike
contrôler - to control
cordialement - warmly, sincerely, cordially
coup - knock, blow, bang
courons - we run; let's run
courriel - e-mail
couru - ran *(adj./pp)*
crié - yelled *(adj./pp)*
crie - yells
criminel - criminal
ça - that
ça va ? - how's it going?
d'accord - okay
d'ailleurs - incidentally
dangereux - dangerous
dans - in
de - of, from
debout - standing on one's feet, upright
dedans - inside
demain - tomorrow

demandé - asked *(adj./pp)*
demandait - was asking
demande - asks
dernier - last
derrière - behind
des - some
descendre - to descend
descend - descends
descendu - descended *(adj./pp)*
deux - two
deuxième - second
devant - in front
décidé - decided *(adj./pp)*
décision - decision
découvrait - was discovering
découvrir - to discover
défense - defense
dérange - bothered *(adj./pp)*
désobéissait - was disobeying
désolé - sorry *(adj.)*
détruit - destroyed *(adj./pp)*
directement - directly
dis - say (I)
disait - was saying; said
discutaient - were discussing
dit - says (s/he)
dit - said *(adj./pp)*
divisé - divided *(adj./pp)*
dix - ten
déjà - already
délicats - delicate
délicieux - delicious
doigt - finger
donné - gave *(adj./pp)*
donne - give(s)
dormait - was sleeping
dormi - slept *(adj./pp)*
dormir - to sleep
dort - sleeps
du - of the
elle - she
embarrassé - embarrassed *(adj./pp)*
embrassé - kissed *(adj./pp)*
embrasse - kisses
en - in, some
encore - again
endormi - asleep *(adj./pp)*
endroit - place, spot
enfants - children
enfin - atlast, finally
ensuite - then, afterwards, next
entend - hears
entendu - heard *(adj./pp)*
entier - entire
entre - enter
entré - entered *(adj./pp)*
entraient - were entering
envers - towards

es - is (tu)
escargots - snails
est - is
et - and
être - to be
eu - had, got *(adj./pp)*
eux - them
exclamé - exclaimed *(adj./pp)*
existaient - were existing
expliqué - explained *(adj./pp)*
expliquait - was explaining
explore - explored *(adj./pp)*
explorer - to explore
échappé - escaped *(adj./pp)*
échapper - to escape
écouté - listened *(adj./pp)*
écoutait - was listening
écoute - listens
écouter - to listen
écrié - exclaimed *(adj./pp)*
également - equally
érable - maple
étang - pond
évaporé - evaporated *(adj./pp)*
exaspéré - exasperated *(adj./pp)*
facture - bill
faim - hunger
faire - to do
fais - do
faisons - we do
fait - does
fait - did *(adj./pp)*
fameuse - famous
famille - family
fascinante - fascinating
fascine - fascinated *(adj./pp)*
fatigué - tired *(adj./pp)*
faux - false
fâché - angry *(adj./pp)*
ferme - farm
feu - fire
fille - girl
filles - girls
film - film, movie
fils - son
fin - end
finalement - finally
flamme - flame
fleurs - flowers
fleuve - river
fois - time *(count of instances ex: one time, two times)*
fontaine - fountain
forestiers - rangers
fort - strong
forêt - forest
fortifications - fortifications, ramparts

frais - cool
français - French
front - forehead
frustré - frustrated *(adj./pp)*
furieux - furious
gardes - guards
garçon - boy
gens - people
gestes - gestures
génial - brilliant, great, fantastic !
goûter - to taste
grand - tall, big
gratuitement - freely
grave - serious
grimpé - climbed *(adj./pp)*
grimpe - climbs
grimper - to climb
grosse - large
groupe - group
guidé - guided *(adj./pp)*
habituel - regular, customary
heure - hour
heureusement - happily
histoire - story, history
historique - historical
home - man
homes - men
hôtel - hotel
ici - here
idée - idea
il - he
il faut - it is necessary
Il fallait - it was necessay
ils - they *(masc.)*
il y avait - there was, were
imitations - imitations
imité - imitated *(adj./pp)*
immédiatement - immediately
impressionné - impressed *(adj./pp)*
incendie - fire, blaze
indépendant - independent
informations - information
infraction - violation
insert - inserts
insisté - insisted*(adj./pp)*
installé - installed, settled in *(adj./pp)*
intérieur - interior
interrogatoire - questioning
interrompu - interrupted *(adj./pp)*
intéressait - was interested in
intéressant - interesting
irresponsable - irresponsible
irrité - irritated *(adj./pp)*
j'ai - I have
j'aime - I like
je - I

jean - jeans
jeté - threw, thrown *(adj./pp)*
j'offre - I offer
jour - day
journée - daytime
juste - fair, just
là - there
la - it (fem.)
laissé - left *(adj./pp)*
laisse - leaves
le - it *(masc.)*
île - island
l'eau - water
les - the (pl.)
lettre - letter
leur - to them, their
levé - raised *(adj./pp)*
libre(s) - free *(adj.)*
ligne - line
liquide - liquid
lisait - was reading
liste - list
lit - bed
longtemps - a long time
lors - while
loupe - magnifying glass
lu - read *(adj./pp)*
lui - to him; to her
ma - my
magique - magic
magnifique - magnificent
main - hand
maintenant - now
mais - but
maison - house
mal - bad, evil
malchance - bad luck
maman - mom
mange - ate, eaten *(adj./pp)*
mangeait - was eating
mange - eats
manger - to eat
manière - manner
manqué - lacked, missed *(adj./pp)*
marché - walked *(adj./pp)*
marche - walks
marcher - to walk
matin - morning
mauvaise - bad, wrong, incorrect
mécanicien - mechanic
mécanique - mechanical
méchant - mean, naughty
me - to me, me
membre - member
même - even; same
merci - thank you
mes - my
mesdames - ladies

messieurs - gentlemen
miam - yum
micro - microphone
mis - put *(adj./pp)*
moi - me
mon - my
monsieur - sir
montait - was mounting, was going up
monte - mounts, goes up
monté - mounted *(adj./pp)*
monter - to go up, to mount
montrait - was showing
moqué - mocked *(adj./pp)*
morceaux - piece
moteur - motor
mère - mother
nagé - swam *(adj./pp)*
nager - to swim
nécessaire - necessary
nerveusement - nervously
nerveux - nervous
ne, ni - neither, nor
non - no
nos - our
notre - our
nous - we
nouvel - new
nuit - night
où - where
ou - or
obéir - to obey
objet(s) - object(s) *(n.)*
observait - was observing
observe - observes
observer - to observe
occupé - busy *(adj./pp)*
odeur - aroma
offert - offers *(v)*; offered *(adj./pp)*
offrait - was offering
ont - they have
ou - or
oui - yes
ouvert - *(adj./pp)* opened
pancarte - sign
panique - panic
papa - dad
par - by, through
paralysé - paralyzed*(adj./pp)*
parce que - because
pardon - excuse (me); forgiveness
parlait - was speaking
parle - speaks
parlé - spoke, spoken *(adj./pp)*
parler - to speak
parmi - among
part - leaves

parti - left *(adj./pp)*
participants - participants
partir - to leave
partout - everywhere
pas - not
passagers - passengers
passé - passed *(adj./pp)*
passer - to pass
pauvre - poor
payer - to pay
pêché - fished
pêchaient- were fishing
pêche - fishes *(v)*; fishing *(n)*
pêcher - to fish
pêcheurs - fishermen
pendaient - were hanging
pendant - during
pensé - thought
pensaient - were thinking
pensait - was thinking
pense - thinks
perché - perched *(adj./pp)*
perdu - lost *(adj./pp)*
père - father
personne - no one
petit - little, small
peu - a bit, a little
peur - fear
peux - can
pied - foot
pierre - stone
plaît - pleases
plateau - platter
pleurait - was crying
pleurer - to cry
poche - pocket
policier - police officer
poliment - politely
populaire - popular
porte - door
posé - posed, placed *(adj./pp)*
possibilités - possibilities
postale - postal
poste de police - police station
pour - for
pourquoi - why
préféré - preferred *(adj./pp)*
préfère - to prefer
premier - first
prenaient - were taking
prenait - was taking
prendre - to take
préparée - prepared *(adj./pp)*
près - near
presque - almost
pris - took; taken *(adj./pp)*
privé - deprived *(adj./pp)*
privilèges - privileges
probablement - probably
problème - problem

prochain - next
profiter de - to take advantage, profit from
programme - itinerary, schedule, program
promenade - walk, stroll, ride
promets - promises
protégés - protected *(adj./pp)*
province - province
provoquer - cause, provoke
puis - then
quand - when
quatre - four
que - what, that
quel(le) - which
quelques - a few
qui - who
quoi - what
raison - reason
ramassé - pick up *(adj./pp)*
rapidement - quickly
rappelé - call back, recall *(adj./pp)*
réalité - reality
redescendu - descended again *(adj./pp)*
recevait - was receiving
regardait - was watching
regarde - watches, looks at
regardé - watched *(adj./pp)*
regarde - watches
regarder - to watch
réellement - really, actually
remarqué - noticed *(adj./pp)*
remonté - gone up again, gone even higher *(adj./pp)*
remonte - goes up again, goes higher
remonter - to go up again, to go higher
rencontré - met, encountered *(adj./pp)*
rendre - to render, to give back
rentre - goes back
rentrer - to go back
repensé - thought back, rethought
repent - repents
représentant - representing
respect - respect
respecté - respected *(adj./pp)*
respecter - to respect
respecterai - I will respect
respectueux - respectful *(adj.)*
responsable - responsible
ressemblait - looked like
resté - remained, stayed *(adj./pp)*
rester - to stay, to remain

retrouvé - found again *(adj./pp)*
retrouver - to find again
revu - seen again *(adj./pp)*
règlements - rules, regulations
règles - rules
réparation - repair
réparer - to repair
répondu - responded *(adj./pp)*
réponse - response
répète - repeats
réveille - wakes up
réveillait - was waking up
réveillé - woke up *(adj./pp)*
ridicule - ridiculous
rien - nothing
rivière - river
rochers - rocks
route - route
sa - his/hers *(fem.)*
sans - without
sarcastique - sarcastic
savait - knew
s'appelait - was called (named)
s'appelle - is called
s'approché de - approached
s'aventurer - to venture off/in
s'endormir - to fall asleep
s'exclamé - exclaimed
s'imaginait - was imagining
seau - bucket, pail
semble - seems
sept - seven
sera - will be
serai - I will be
serpents - snakes
ses - his
seul - alone
seulement - only
sévère - severe
si - if, so, yes
signe - sign
sirop - syrup
situé - situated *(adj./pp)*
soir - evening
soit - whether, either
soleil - sun
sommes - we are
son - his/her *(masc.)*; sound
sonnette - bell
sont - are
sort - exits, goes out
sorti - went out, exited *(adj./pp)*
sortir - to exit, to go out
soudain - suddenly
sourire - smile
souvent - often
sérieux - serious
sucré - sweet *(adj.)*

sucre - sugar
suffisamment - sufficiently
suggéré - suggested *(adj./pp)*
suis - am
suite - following, next
suite - suite (large hotel room)
suivait - was following
supermarché - super market
sur - on
sœur - sister
surveillés - watched *(adj./pp)*
tant - so much
tard - late
temps - time, weather
tendrement - tenderly
terre - earth
terrifié - terrified *(adj.)*
tes - your
télé - TV
télécommande - remote control
téléphone - telephone(s) *(v)*
téléphoner - to call on the phone
timidement - timidly
toi - you
toilettes - bathroom
tomber - to fall
ton - your
touché - touched *(adj./pp)*
toujours - always
tour - tour
touristes - tourists
tous - all *(masc. pl)*
tout - all *(masc. sing.)*
tout de suite - right away; immediately
toute - all *(fem. sing.)*
toutes - all *(fem. pl.)*
tremblant - trembling
triste - sad
trois - three
trouvé - found *(adj./pp)*
trouve - finds
trouver - to find
très - very
truite - trout
tête - head
tu - you
tué - killed *(adj./pp)*
tuer - to kill
un(e) - a, an; one
va - goes
vacances - vacation
vais - I go
vers - towards
veut - wants
veux - want (I, you)
évident - evident
vieille - old *(fem.)*

vieux - old *(masc.)*
ville - town, city
visite - a visit
visiter - to visit
vite - fast
vitesse - speed
voilà - there it is
voir - to see
vois - I see
voiture - car
vont - they go
votre - your
voulaient - they wanted
voulait - wanted
vous - you *(pl.)*
voyager - to travel
voyaient - were seeing
voyait - was seeing
voyous - delinquent
vrai - true
vraiment - really
vu - seen; saw *(adj./pp)*
youpi - yippee !

To read this story in present tense,
please turn the book over and read from back cover.

Brandon Brown
à la conquête de Québec

Cover and Chapter Art by Robert Matsudaira

by

Lynnette St. George

based on the original story by

Kristy Placido & Carol Gaab

edited by

Sabrina Sebban-Janczak

ISBN: 978-1-940408-13-2

TPRS Publishing, Inc., P.O. Box 11624, Chandler, AZ 85248

800-877-4738

info@tprstorytelling.com • www.tprstorytelling.com

A NOTE TO THE READER

This fictitious novel is based on fewer than 140 high-frequency words in French. It contains a *manageable* amount of vocabulary and numerous cognates (words that are similar in two languages), making it an ideal first read for beginning language students.

Essential vocabulary is listed in the glossary at the back of the book. Keep in mind that many verbs are listed in the glossary more than once, as most appear throughout the book in various forms and tenses. (Ex.: I go, he goes, let's go, etc.) Vocabulary that would be considered beyond a 'novice-low' level is footnoted within the text, and their meanings given at the bottom of the page where each occurs.

The opinions and events in this story do not reflect or represent the opinions or beliefs of TPRS Publishing, Inc. This novel is intended for educational entertainment only. We hope you enjoy reading it!

Table des matières

Present Tense Version

To read this story in past tense, please turn the book over and read from front cover.

Chapitre 1:

La Ville de Québec

Il est 9 h du soir[1]. La famille Brown va dans un bel hôtel[2]. Ils vont en vacances à Québec à l'hôtel Frontenac. L'hôtel Frontenac est situé dans la vieille ville[3]. La ville de Québec est dans la province de Québec au Canada.

[1]9 h du soir - 9:00p.m. or 9 o'clock in the evening. (In French, the hour and minute are separated with 'h' (for heure). Ex.: 9 h vs. 9:00); "a.m." and "p.m." are not used. "Du matin" is used for a.m., "de l'après-midi" for 12 p.m. to 6 p.m. (in the afternoon), and "du soir" for 6 p.m. until midnight (in the evening/at night)

[2]le bel hôtel - the resort (beautiful hotel)

[3]la vieille ville - the old part of the city

– Regarde le bel hôtel ! Il est énorme cet hôtel ! Il y a beaucoup d'activités à faire à l'hôtel Frontenac. J'veux faire toutes les activités possibles demain –s'écrie Brandon.

Sa maman lui répond :

– Oui, Brandon, il y a beaucoup d'activités à faire, mais demain nous allons faire un tour en famille. Mon grand, tu comprends qu'il est impossible de faire un tour en famille et de faire toutes les activités au Frontenac.

Brandon ne veut pas faire de tour en famille. Brandon veut faire toutes les activités possibles à l'hôtel Frontenac.

La famille Brown entre dans la suite. C'est une très grande suite. À l'intérieur, il y a deux chambres : une chambre pour les parents, et une deuxième chambre pour Brandon et sa sœur. En plus, il y a une grande télé dans chaque chambre. Brandon veut regarder la télé toute la nuit.

Les parents de Brandon vont dans leur chambre

et Brandon va tout de suite vers la télécommande[4].

À la télé il y a beaucoup de films. Il y a des films en français, en espagnol, en anglais, et en chinois ! Brandon dit à sa sœur :

– Katie, tu veux regarder Hunger Games avec moi ?

Katie consulte le programme.

– Non ! Je préfère regarder Frozen !

– Moi, je vais regarder des films toute la nuit ! On commence avec Hunger Games, et ensuite on regarde Frozen, d'accord ?

La maman de Brandon entre dans la chambre de Brandon et lui dit :

– Non, Brandon, tu ne vas pas regarder de films maintenant, parce que demain nous allons faire le tour de la vieille ville de Québec. Nous allons aller à la station de bus à 7 h du matin. Il est nécessaire de bien dormir ce soir.

[4] *la télécommande - the remote control*

– Mais Maman s'il te plaît ! –crie Brandon.

– Je ne veux plus parler de films, Brandon. Va au lit tout de suite !

La maman regarde la sœur de Brandon et lui dit : « *Bonne nuit, Katie* » puis elle sort de la chambre. Katie ne lui répond pas. Elle est déjà endormie.

Puis, Brandon va vers la porte[5] de la chambre de ses parents pour les écouter. 5 minutes après, ils ne parlent plus : ils se sont aussi endormis.

Brandon regarde la télécommande avec un peu

[5]la porte - the door

d'incertitude. Il sait qu'il désobéit, mais... Il veut regarder les films à la télé. Brandon se dit : « *Toute la famille est endormie, quel est le problème si je regarde un seul film ?* ». Alors, il regarde « Hunger Games, Iron Man, Batman, Harry Potter VIII » ; en tout il regarde 4 films. Puis Brandon regarde l'heure. Il est déjà 5 h du matin[6]. « *Oh non !* » se dit Brandon. « *J'ai seulement une heure pour dormir* ». Brandon va directement au lit et il s'endort tout de suite.

[6]5 h du matin - 5:00a.m. (5 o'clock in the morning)

Chapitre 2:
Les conséquences

Il est 6 h du matin, la mère de Brandon entre dans la chambre de Katie et Brandon. Elle dit :

– Katie...Brandon. Il est 6 h. Réveillez-vous !

Katie se réveille et dit avec son grand sourire habituel :

– Bonjour maman !

Mais Brandon ne se réveille pas. Sa maman lui dit :

– Réveille-toi, mon grand !

Il continue à dormir et ne se réveille pas. Sa maman lui touche le bras[1]; il ne se réveille pas. Elle lui touche la tête, mais il ne se réveille toujours pas.

– Brandon ! Réveille-toi ! –s'écrie sa mère.

Finalement, sa maman crie très fort :

– Braaaaandooooon !

Enfin, Brandon se réveille.

– Qu'est-ce qui se passe ?

Brandon n'est pas content. Sa maman non plus, alors elle lui dit d'un ton sévère :

– Debout[2] ! Nous allons faire le tour de la vieille ville de Québec. Le bus part de l'hôtel à 7 h, c'est compris ?

– S'il te plaît maman, encore 10 minutes ? –lui répond Brandon.

– Non. Nous allons manger dans le restaurant de l'hôtel, et puis nous allons monter

[1] *le bras - the arm*

[2] *Debout - Up ! Get up ! Upright, on one's feet*

directement dans le bus.

– Je ne veux pas manger. Je n'ai pas faim. Je suis fatigué.

– Réveille-toi ! Debout ! –lui dit sa mère, d'un ton sérieux.

Brandon n'est pas du tout content. Il est très, très, très fatigué. Finalement Brandon se lève et il va aux toilettes. Il se dit : *« c'était une très mauvaise idée de regarder ces 4 films ! »*.

À 7 h le bus arrive devant l'hôtel Frontenac, et la famille Brown monte à l'intérieur. Brandon, qui est toujours très fatigué s'endort. Le bus arrive devant le vieux port de la ville de Québec rapidement. Dans le Vieux-Port il y a beaucoup de vieux monuments historiques. Ils explorent le vieux port et puis, ils vont vers les Plaines d'Abraham.

Là, il y a un monument qui s'appelle La Citadelle, autre vieux monument historique. À la Citadelle, on y découvre l'histoire de la ville de Québec et de la France. Brandon ne veut pas descendre du

bus, mais sa mère insiste. La famille Brown va explorer La Citadelle et va regarder la belle vue du fleuve[3] St Laurent. Brandon ne veut pas aller explorer. Il est fatigué et il a mal à la tête parce qu'il a peu dormi.

– Mamaaaaaaan. J'veux pas découvrir l'histoire de Québec et de la France. Je suis fatigué. J'ai mal à la tête.

Mais sa mère ne l'écoute pas. Elle est contente d'aller explorer La Citadelle et d'aller écouter l'histoire de ce monument. Elle n'écoute pas Brandon. Elle veut aller explorer le monument et profiter[4] de la belle vue.

Il n'est pas content, mais Brandon va avec sa mère à La Citadelle. Il est hyper fatigué. Brandon regarde Katie qui elle, n'est pas du tout fatiguée. Au contraire, elle a beaucoup d'énergie. Elle monte sur les fortifications avec beaucoup d'enthousiasme.

[3] *la vue du fleuve St Laurence - the view of (the St Laurent) river*
[4] *profiter de - to take advantage of, to enjoy, (to profit from)*

Katie prend des photos des belles vues.

– Braaaaaaaaaaandon ! –appelle Katie–, allons-y, on y monte !

– Ahhhh ! –répond Brandon, qui est si frustré à cause de sa mère.

Brandon ne veut pas monter sur les fortifications de La Citadelle. Il est fatigué et il a mal à la tête[5]. Mais finalement Brandon et sa mère explorent La Citadelle. Ils regardent la belle vue. Sa mère veut une photo.

– Brandon, je veux une photo avec toi !

[5]*mal à la tête- headache*

– Mamaaaan, j'veux pas prendre de photo, –dit Brandon–. J'veux pas descendre. J'veux dormir. J'ai mal à la tête.

– Non, Brandon, –lui répond sa maman–. Nous allons descendre dans quelques minutes.

Brandon est complètement frustré. Sa maman prend une photo de Katie et de son père sur les fortifications de La Citadelle. Le guide explique l'histoire de La Citadelle et toute la famille est fascinée par cette histoire, et par l'histoire de la ville de Québec. L'histoire de Québec est magnifique et fasci-

nante. Mais, Brandon n'écoute pas le guide. Il a un mal de tête horrible ! C'était vraiment une mauvaise idée de regarder ces 4 films.

Une heure après, la famille remonte dans le bus, et Brandon s'endort tout de suite.

Chapitre 3:
Un homme étrange

Brandon se réveille et voit le bus qui est devant une belle fontaine. La fontaine s'appelle la fontaine Tourny. Les gens descendent du bus. La maman de Brandon regarde les gens qui prennent des photos du Vieux-Québec. Ils prennent des photos des beaux hôtels, des monuments et de la belle architecture dans le Vieux-Québec.

– Regarde la fontaine, Brandon –dit son

père–. Tu veux prendre une photo avec moi devant la fontaine ? C'est une très vieille fontaine historique. La fontaine est un cadeau offert par la ville de Bordeaux lors du 400ème anniversaire de la ville de Québec.

– Non, papa. J'suis fatigué. J'veux pas prendre de photo d'une fontaine. J'veux pas d' photo d'une fontaine.

– Qu'est-ce qui se passe, Brandon ? Tu n'aimes pas notre promenade en ville ?

– Papa, j'ai mal à la tête, et je suis très fatigué. Je veux remonter dans le bus. Je veux seulement dormir une heure de plus, s'il te plaît, Papa ?

Son père lui dit :

– D'accord, Brandon, remonte dans le bus et dort un peu.

Le chauffeur n'est pas dans le bus, mais heureusement il a laissé la porte ouverte. Puis, un homme monte dans le bus pendant que Brandon est en train de s'endormir. Cet homme est en train de parler au

téléphone d'un ton agressif. Il ne sait pas que Brandon est également dans le bus. Il dit :

« Oui, il y en avait quatre, mais l'un d'eux s'est échappé.» Brandon écoute la conversation attentivement. L'homme continue sa conversation : *« J'en ai déjà tué trois, et je cherche toujours le 4ème. Calme-toi. Je vais tuer le 4ème aussitôt que possible »*. Brandon a peur pendant qu'il écoute la conversation. Il se demande : *« De quoi…de qui parle-t-il ? »*.

Il s'imagine que cet homme est un criminel, comme celui qu'il a vu dans le film « Hunger Games » à la télé dans la chambre d'hôtel. Plus il

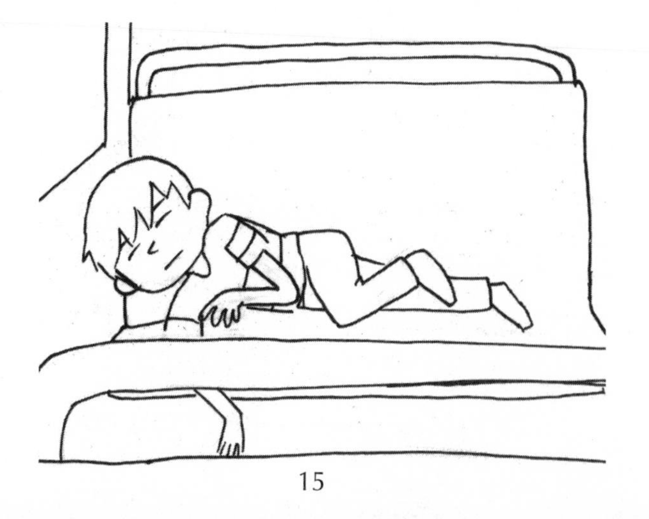

repense au film, plus il a peur.

Après cette conversation l'homme redescend rapidement du bus. Finalement Brandon se calme et il s'endort. Il n'entend ni les touristes qui remontent dans le bus ni le bruit du moteur parce qu'il dort comme un bébé.

Quand Brandon se réveille, il ne voit ni les autres passagers ni sa famille. Le bus n'est plus devant la fontaine. Heureusement, le chauffeur, lui est dans le bus.

Brandon le voit manger un sandwich. Il voit son sandwich et ça lui donne faim. D'ailleurs, il n'est plus fatigué, il n'a plus mal à la tête, il a seulement faim.

– Enfin, tu te réveilles –lui dit le chauffeur.

– Oui –répond Brandon–. Où sont les gens ? Où sommes-nous ?

– Nous sommes sur l'île d'Orléans. Ton groupe est en train de manger dans ce restaurant. C'est un restaurant très connu. Il

s'appelle Mona et Filles. Tu le vois ? Il est juste devant le bus.

– Oui –répond Brandon, un peu timidement.

Puis, Brandon descend du bus et il entre dans le restaurant. Il cherche sa famille à l'intérieur, mais il ne la voit pas. Il voit beaucoup de touristes américains, mais il ne voit pas sa famille.

Alors, Brandon va dans les toilettes. Il y cherche son père. Mais son père n'y est pas. Il continue de chercher sa famille. Il est un peu nerveux. Il se demande où est passé sa famille.

Il y a une autre famille qui mange dans ce restaurant. Dans cette famille il y a une maman, un

papa et un garçon. La mère de cette famille remarque que Brandon est sans sa famille. La maman lui dit : « Bonjour ! ». Brandon est très nerveux. Il lui répond :

– Bonjour !

– Ça va ? –la maman lui dit.

– Oui, ça va bien, mais je cherche ma famille. Ils sont probablement dans le bus. Je vais les chercher.

Brandon va vers le bus et il remonte dedans. Tous les touristes remontent aussi, mais la famille de Brandon n'est toujours pas dans le bus. Brandon est de plus en plus nerveux.

– Où allons-nous ? –demande-t-il au chauffeur.

– Nous allons faire un tour de toutes les petites fermes[1] et boutiques, et puis nous allons rentrer à l'hôtel Frontenac.

[1]*fermes - farms*

Brandon ne voit pas sa famille parmi[2] le groupe de touristes américains. Il voit que la mère de famille qui lui a parlé dans le restaurant monte aussi dans le bus. Quand Brandon voit cette famille, il se calme un peu. Il se dit : « *Je pense que mes parents ont préféré marcher et prendre des photos, alors ça va ! Je vais certainement retrouver ma famille à l'hôtel Frontenac en fin de visite.* »

[2]*parmi - among*

Chapitre 4:
Un nouvel ami pour Brandon

Pendant qu'il est dans le bus Brandon continue à se parler à lui même[1]. Il pense à sa famille et il se demande : *« Où sont-ils ? Pourquoi est-ce qu'ils ne sont pas dans le bus ? »*. À présent Brandon n'est plus fatigué parce qu'il a un peu dormi, mais il est toujours aussi nerveux ! À l'intérieur du bus il revoit la même famille qu'il avait déjà vue dans le restaurant, et il se demande si c'est une bonne idée d'expliquer la situation à cette maman.

[1]*à lui même - to himself*

Brandon va en direction des toilettes. Sur la porte il y a un signe qui dit : « occupé ». Deux minutes plus tard, un homme sort des toilettes. C'est l'homme qui parlait au téléphone dans le bus. L'homme regarde Brandon d'un air suspect. Il ne lui parle pas, mais il l'observe attentivement.

Brandon a peur de cet homme, et il n'est pas content qu'il l'observe. Il se dit : *« Cet homme a déjà tué 3 personnes, est-ce qu'il va me tuer, moi aussi ? »*. Brandon entre rapidement dans les toilettes pour échapper à cette situation.

Quelques minutes plus tard Brandon sort des toilettes et un autre garçon y entre. C'est le fils de la famille qu'il a rencontré dans le restaurant. Brandon cherche le méchant homme. Il a vraiment peur de lui. Il ne veut pas voir cet horrible monsieur.

Puis le garçon sort des toilettes et il voit Brandon. Il remarque que Brandon est tout seul.

– Bonjour ! –dit le garçon à Brandon.

– Bonjour ! –lui répond Brandon–. Ça va ?

– Oui, ça va !... Es-tu seul ?

– Non, je ne suis pas seul, je suis avec ma famille, mais ils préfèrent marcher. Ma famille aime prendre beaucoup de photos de tout et de rien !

– Ah ! –lui répond le garçon.

– Où va t-on ? –lui demande Brandon.

– Nous allons faire le tour de l'île d'Orléans. Le guide nous a dit qu'il y avait beaucoup de choses à voir, mais moi, ça m'intéresse pas !

– Ta famille est probablement dans l'autre bus. –dit le garçon.

– Il y a un autre bus? –lui demande Brandon.

– Oui, il y a un autre bus, derrière. –lui répond le garçon.

Finalement ils arrivent devant une ferme dans le premier village qui s'appelle Sainte-Pétronille, et le garçon dit à Brandon :

– Descendons du bus, et partons à l'aventure !

Brandon descend du bus avec le garçon. Il s'appelle Justin et il a 12 ans comme Brandon. Justin n'a pas de sœur. Justin aime beaucoup les aventures, et il ne veut pas faire cette visite guidée non plus. Pour lui, les visites guidées sont pour les vieux. Mais, une aventure avec Brandon, ça c'est bien plus amusant !

– Maman, est-ce que je peux aller faire la visite avec Brandon, s'il te plaît ? –demande Justin poliment.

Sa maman regarde Brandon et lui répond :

– Pourquoi pas, ton ami me semble respectueux. Justin, il y a 6 villages à visiter dans cette île, on se donne rendez-vous[2] au dernier village dans 3 heures. Amusez-vous bien !

Finalement, Brandon se calme un peu. Il est content à l'idée de partir à l'aventure avec Justin. Faire le tour de l'île avec les vieux[3], ça, ce n'est pas amusant.

[2]*on se donne rendez-vous - let's meet (up)*
[3]*les vieux - older people*

– Nous allons bien nous amuser ! Les visites c'est pour nos parents, pas pour nous ! –dit Justin.

Brandon est content à l'idée de s'aventurer seul avec Justin. Il ne pense plus à ses parents pour le moment. Maintenant les deux garçons sont seuls et indépendants. Ils vont avoir une super aventure … Pendant ce temps le méchant homme observe tout d'un air suspect, et écoute les conversations des garçons en secret.

Chapitre 5:
Les aventuriers

L'île d'Orléans est divisée en 6 villages : Sainte-Pétronille, Saint-Pierre, Saint-Laurent, Sainte-Famille, Saint-Jean et Saint-François. La visite guidée commence dans le village de Sainte-Pétronille. Brandon et Justin sont libres. Youpi ! Ils courent partout : dans les fermes, les boutiques, les restaurants, & les clubs de sports. Tout à coup une odeur les attire. C'est une odeur de chocolat, miam miam ! En fait, cette odeur sort de la fameuse chocolaterie de Sainte-Pétronille.

– C'est du chocolat cette odeur ?

– Oui, je pense ! Tu as faim ?

– J'ai un peu faim –dit Brandon–. Regarde ! Il y a une chocolaterie, on y va ? –Brandon continue.

– Bonne idée ! J'aime bien le chocolat, allons-y ! –dit Justin.

Et soudain, Brandon revoit le méchant homme. Il continue de les observer et d'écouter leurs conversations. Brandon et Justin ne veulent pas voir cet homme.

– Regarde-le, –dit Brandon–. Il est très bizarre ! Il a l'air méchant. Il nous observe. Je ne l'aime pas du tout. Allons-nous cacher

dans la chocolaterie.

Les deux garçons continuent de marcher vers la chocolaterie et ils ne voient plus le méchant homme. Ils sont contents.

Puis, ils entrent dans la chocolaterie. Le méchant homme n'est pas en route vers la chocolaterie, les garçons voient une pancarte[1] avec beaucoup d'informations historiques mais les garçons ne sont pas impressionnés par l'histoire de l'île. Ils ont faim. Ils veulent du chocolat.

L'histoire de l'île ne les intéresse pas. Les artistes, les activités, et manger du chocolat, ça c'est plus intéressant !

Il y a beaucoup de touristes dans la chocolaterie. La chocolaterie s'appelle la Chocolaterie de l'île d'Orléans. Les garçons veulent manger du chocolat. Il y a une fille avec un plateau à la porte qui offre des morceaux de chocolat aux gens qui entrent. Les chocolats sont délicieux et beaux à regarder. Justin et Brandon prennent deux morceaux de chocolat

[1]*une pancarte - a sign*

chacun. Tout est délicieux dans cette chocolaterie. Les gens à l'intérieur mangent toutes sortes de chocolats. Il y a même du chocolat chaud. Miam !

Brandon ne mange pas beaucoup de chocolat. Pour manger beaucoup de chocolat, il faut payer. Brandon ne veut pas payer, il veut seulement manger du chocolat gratuitement.

Dans la chocolaterie, Justin commence tout à coup à causer des problèmes. Il imite les gens qui sont là. Il imite leurs gestes et leurs mouvements. Les gens le voient et ils se fâchent. Ils n'apprécient pas

ses imitations. Un homme s'approche de Justin et lui dit : « *Stop ! N'imite pas les gens dans ma chocolaterie. Tu as le choix : soit tu manges du chocolat, soit tu sors de ma chocolaterie, c'est clair ?* ». Les garçons reprennent[2] du chocolat et sortent vite de la chocolaterie.

Brandon ne veut pas causer de problèmes.

– Allons-y ! –il suggère nerveusement.

– Oui, il y a beaucoup de gens dans la chocolaterie –Justin lui répond.

Soudain, Brandon s'écrie :

– Regarde! Le bus part, montons vite !

Les deux garçons montent en vitesse dans le bus. Le méchant homme est déjà dedans et il les regarde bizarrement. Le bus prend la route vers St-Pierre, le 2ème village de la visite guidée.

[2]*reprennent - takes again*

Chapitre 6:

Une mauvaise influence

Brandon et Justin discutent de leurs aventures dans le bus. Ils discutent des possibilités qui existent à Saint-Pierre. Brandon et Justin parlent de leurs futures aventures en route vers Saint-Pierre. Tout à coup, les garçons entendent un bruit horrible et le bus s'arrête brusquement. Il est évident que le bus a un problème mécanique.

Le chauffeur prend le micro et annonce : « *le bus a un problème mécanique, mais je vais téléphoner à un mécanicien pour le faire réparer*[1]. »

[1]*le faire réparer - to have it repaired; to get it repaired*

Puis le mécanicien arrive pour faire la réparation et les touristes descendent. Ils entrent dans un restaurant mais Brandon et Justin ne veulent pas y aller. Ils préfèrent explorer Saint-Pierre seuls.

Les deux garçons voient beaucoup de mouvement autour de l'étang[2]. Ils voient un groupe d'hommes qui pêchent[3]. Les hommes crient : « *Whoooaaaa* » quand ils voient de grosses truites[4] ! Et les hommes pêchent pas mal de truites !

[2]*l'étang - the pond*

[3]*pêchent - are fishing*

[4]*truites - trouts*

L'étang de la Pêche à la truite est un endroit très populaire à Saint-Pierre. Les hommes de Saint-Pierre et les touristes vont souvent à cet étang pour pêcher la truite. Justin et Brandon s'approchent des pêcheurs pour regarder les truites. Brandon veut pêcher, mais il faut payer pour pêcher dans cet étang. Les hommes attrapent beaucoup de truites. Justin s'approche pour bien voir les truites. Finalement, Justin prend une des truites pour bien la regarder. L'homme crie après Justin : *« Hé hé ! C'est ma truite ! Ne touche pas à ma truite! »*.

Justin se moque de l'homme d'un ton sarcas-

tique : *« C'est ma truite ! Ne touche pas à ma truite ! »*. Brandon aime bien les imitations de Justin. Brandon pense que Justin est un garçon comique, mais les hommes, eux, ne pensent pas que Justin soit comique. Les hommes n'aiment pas du tout les imitations de Justin. Les hommes crient après les garçons : *« Allez-vous en! Partez d'ici ! »*.

Les hommes courent après les garçons pour les attraper, mais les garçons s'échappent et courent vers une rivière. Une fois arrivés à la rivière, les garçons décident de pêcher eux aussi. Justin et Brandon entrent dans la rivière et pêchent avec les mains[5]. Ils crient très fort et imitent les hommes : *« Whoooaaa, regarde ma grosse truite ! »*. Ils n'attrapent pas de truites, mais ils sont contents.

Brandon a un peu faim, mais il ne le dit pas à Justin. Brandon veut voir sa famille, mais il ne le dit pas à Justin non plus. Brandon aime passer du temps avec son nouvel ami, mais il veut aussi retrouver sa famille. Il ne veut pas l'admettre à Justin.

[5]*mains - hands*

Soudain Brandon voit une pancarte qui dit :

DANGER !
DÉFENSE DE
NAGER DANS
LA RIVIÈRE

Brandon dit à Justin :

– Sortons de la rivière ! Regarde la pancarte, c'est dangereux !

Brandon sort de la rivière très vite. Il crie *« Justin »* très fort. Justin n'écoute pas Brandon, il veut rester dans la rivière.

– Je veux rester dans la rivière, c'est amusant –crie-t-il à Brandon !

Soudain, le méchant homme crie après les garçons parce qu'il est irrité :

– Vite ! Le bus part, montez vite dans le bus !

Justin décide d'écouter le méchant homme et il sort de la rivière. Brandon et Justin courent vite vers

le bus et arrivent juste à temps.

Comme Brandon a une grande imagination il se demande si le méchant homme veut vraiment le tuer. Il se dit : « *Veut-il vraiment me tuer ? Est-il possible qu'il ait tué ma famille ? Les a–t-il tués ?* ».

Chapitre 7:
La Forêt des érables

Le bus continue sa route vers l'autre village. Le méchant homme continue d'observer les deux garçons.

– Pourquoi est-ce que cet homme nous regarde ? Je n'aime pas ça.

– Oui, moi non plus –dit Justin.

– Il est très bizarre, n'est-ce pas ?

Finalement, le bus arrive devant une cabane à sucre[1]. Tous les touristes descendent et se mettent en

[1]*cabane à sucre - maple (sugar) shack*

groupe. *« Que faisons-nous maintenant ? »*, se demande Brandon. *« Je veux rentrer à l'hôtel. Je veux voir ma famille »,* se dit-il. Au même moment, une personne parle au groupe et dit : *« Je suis le guide de la visite de la cabane à sucre. »*

– Encore une autre visite? –s'écrie Brandon irrité.

– Ah, non ! –dit Justin.

Le méchant homme regarde Brandon et Justin. Maintenant Brandon ne parle plus. Il a réellement peur de cet homme. Il est clair que cet homme n'aime pas Brandon. Le guide continue à parler au groupe d'un ton autoritaire et sérieux : *« Il faut faire*

très attention aux érables. La forêt et les arbres sont protégés. Il ne faut absolument pas grimper aux arbres. C'est compris ? Vous pouvez les regarder, mais ils sont délicats alors, il faut les respecter ! Il faut obéir, c'est compris ? S'il vous plaît mesdames, messieurs, respectez ce que je vous dis. Et, je le répète, que personne ne grimpe aux érables ! ».

Le méchant homme regarde les deux garçons d'une manière exaspérée. Il est clair que les deux garçons n'écoutent pas le guide. Il est clair qu'ils ne respectent pas les règlements importants non plus.

– Regarde cet homme. Pourquoi est-ce qu'il nous regarde tout le temps ? –Brandon demande à Justin.

– C'est parce qu'il est bizarre– lui répond Justin.

– J'veux pas faire cette visite. Est-ce que tu veux faire un tour dans la forêt ? Allons-y !

Alors, Les deux garçons vont dans la forêt pour faire des explorations mais aussi pour se cacher de cet homme qui les observe tout le temps. Ils s'avancent un peu et ils ne voient pas que l'homme est derrière eux. À l'entrée de la forêt il y a une pancarte qui dit :

> LES ARBRES DANS CETTE
> FORÊT SONT DÉLICATS.
> **DÉFENSE D'Y GRIMPER !**

Dans la forêt ils voient beaucoup de choses ; des plantes et des fleurs intéressantes, des escargots, et de beaux petits cailloux[2].

[2]*cailloux - stones*

LES ARBRES DANS CETTE
FORÊT SONT DÉLICATS.
DÉFENSE D'Y GRIMPER !

– Grimpons sur les rochers, là. On fait comme si on était gardes forestiers[3], d'accord ? –dit Justin à Brandon.

Alors, les garçons grimpent sur les rochers. Ils font comme s'ils étaient gardes forestiers et ils ramassent des objets intéressants. Ils ne remarquent même pas que le méchant homme les suit en secret.

[3]*gardes forestiers - forest rangers*

Maintenant, ils ont accumulé beaucoup d'objets de la forêt. Tout à coup ils voient des seaux[4] qui pendent des érables. Justin dit :

– Courons vers les seaux pour voir ce qu'il y a dedans ! Et le dernier arrivé embrasse le méchant homme !

Les garçons courent vite vers les érables. Justin et Brandon arrivent

[4]*seaux - buckets/pails*

aux arbres et regardent ce qu'il y a dans les seaux. Ils voient un liquide transparent qui ressemble à de l'eau. Justin met le doigt dans le seau pour goûter[5] ce liquide.

– C'est du sirop d'érable ! –s'écrie Justin.

– Laisse-moi le goûter –dit Brandon–. C'est bon, miam miam ! –s'écrie Brandon.

Les garçons courent partout dans la forêt et ne voient pas que le méchant homme regarde tout en secret.

[5]*goûter - to taste*

Chapitre 8:
Les voyous[1]

Justin et Brandon voient beaucoup d'érables autour d'eux. Quelle chance ! Ils voient qu'on reçoit le sirop d'érable dans les seaux qui pendent des arbres. Les garçons sont fascinés par ce système.

Brandon se demande si c'est une bonne idée de prendre du sirop sans en avoir la permission. Brandon et Justin veulent boire du sirop d'érable. Brandon remarque que le vrai sirop, celui qu'on trouve

[1] *voyous - hoodlums*

au supermarché, est plus sucré parce qu'il est bouilli[2]. L'eau s'est évaporée et le sirop est plus concentré et bien plus délicieux.

Soudain, Justin a une idée géniale pour faire du vrai sirop d'érable. Il se rappelle d'un clip qu'il a vu sur You Tube. Le clip montrait comment provoquer un feu à l'extérieur d'une maison avec une loupe[3]. Alors, il sort une loupe de sa poche, et il prend un seau et des petites branches. Puis, il met sa loupe entre les branches et le soleil.

– Qu'est-ce que tu fais ? –lui demande Brandon.

Tout à coup, voilà ! , il y a une petite flamme parmi les branches et Justin lui dit :

[2]*bouilli - boiled*

[3]*loupe - magnifiying glass*

– Wow ça marche ! C'est magique !

Tout à coup, il y a une grande flamme, puis deux..., puis trois..., puis quatre..., et vlan ! Voilà l'incendie[4]! Les touristes arrivent et très vite la panique s'installe ! Les deux garçons ne savent pas quoi faire. Justin suggère :

– Grimpons aux arbres pour nous cacher !

– Non ! Je ne veux pas ! Il faut qu'on trouve un adulte ! –dit Brandon.

Brandon ne veut pas grimper aux arbres avec Justin. Pour Brandon, l'idée de grimper aux arbres est une mauvaise idée. Mais soudain, les garçons entendent des gens qui arrivent près d'eux. Ils ont

[4]*l'incendie - fire*

peur. Brandon et Justin grimpent dans un arbre pour se cacher.

En montant ils font tomber deux seaux. Ils ne remarquent pas que le méchant homme voit tout. Pauvre Brandon, Il a peur. Il est complètement paralysé par la peur. Il ne veut pas descendre. Il est bloqué.

Quelle malchance ! Les gens voient les seaux par terre et ils voient Brandon et Justin perchés dans l'arbre. Les touristes crient : « *Descendez de là voyous*[4], *immédiatement !* ».

Brandon ne veut pas causer de problèmes. Il ne s'imaginait pas qu'une loupe et un peu de soleil causeraient tant de problèmes.

Chapitre 9
L'arrestation

Un homme s'approche de l'arbre… c'est le méchant homme ! Il grimpe à l'arbre pour aider Brandon. Il veut l'aider à descendre.

Brandon ne veut pas prendre la main de cet homme. Il a peur. Finalement, Brandon accepte et lui prend la main pour descendre petit à petit. Justin

descend aussi. Quand il arrive par terre il se trouve face à face avec deux policiers. Un des policiers prend le bras de Justin ; l'autre prend le bras de Brandon.

Les policiers et les garçons vont au poste de police. Les deux garçons ont peur. Ils sont tous les deux terrifiés ! Les deux garçons marchent avec les policiers. Puis, ils montent dans la voiture de police et ils partent de l'île d'Orléans.

Brandon regarde Justin et lui demande :

– Vont-ils nous arrêter ?

– Brandon tu as été très irresponsable avec

tes idées ! –s’exclame Justin.

Choqué, Brandon s’exclame :

– MES IDÉES !?!?

– Taisez-vous ! Ne parlez plus ! –crie le méchant homme.

Ils arrivent au poste de police. Brandon a très peur ! Le méchant homme dit aux policiers : « *Je vais chercher leurs parents* » et il sort. Dix minutes plus tard, le méchant homme entre dans le poste de police avec les parents de Justin.

– Les garçons ont causé beaucoup de problèmes pendant ma visite ! Ils ont irrité beaucoup de personnes et ils n’ont pas du

tout respecté les ordres du guide. L'incendie a presque détruit l'un des érables ! On ne veut pas de voyous ici.

– Nous ne sommes pas des voyous, c'est lui le criminel, pas nous. Il a tué trois personnes ! –dit Brandon en tremblant de peur.

– C'est complètement faux et ridicule, quelle imagination tu as mon grand ! Les seules choses que j'ai tuées sont des serpents à sonnette, pas des personnes. Moi, j'offre une superbe visite aux touristes respectueux et non pas aux voyous ! Personne ne veut passer de journée avec des enfants mal élevés. Des garçons comme ça n'aident pas mon business.

Le papa de Justin le regarde et lui demande :

– Justin… est-ce que c'est vrai tout ça ?

Justin regarde son père et lui dit :

– Toutes les mauvaises idées étaient celles de Brandon !

Sa maman le regarde tendrement et l'embrasse sur le front. Puis elle jette un regard furieux sur Brandon.

Brandon aussi est furieux, mais il ne dit rien à personne. Justin et sa famille marchent vers la porte et laissent Brandon seul. Le méchant homme regarde Brandon et lui demande :

– Ne vas-tu pas aller avec ta famille ?

La maman de Justin est choquée ; elle interrompt la conversation et elle dit :

– Ah ! Brandon n'est pas un membre de notre famille. Brandon est seulement l'ami de Justin.

Brandon est embarrassé et il ne regarde personne. Le méchant homme est un peu choqué aussi, alors il demande à Brandon :

– Comment t'appelles-tu ?

L'homme regarde la liste des participants de la visite guidée. Brandon n'est pas sur la liste. Brandon

a peur et il regarde le méchant homme, mais il ne lui répond pas. À ce moment, Brandon comprend tout. En réalité l'homme n'est pas méchant ; c'est le responsable du groupe.

Soudain, le chauffeur du bus entre dans le poste de police et annonce : *« Il faut partir, c'est l'heure de rentrer à L'hôtel Frontenac. »* Justin, ses parents, et le représentant de la visite guidée sortent. Pauvre Brandon, il reste seul avec les policiers. Brandon a très peur ; il est seul au poste de police. Un des policiers lui demande d'un ton autoritaire :

– Où sont tes parents ?

Brandon a l'impression d'être dans un film policier, il est nerveux et il se demande :

– C'est un interrogatoire ?

Brandon ne veut pas aller en prison ! Brandon veut voir ses parents ! Finalement, les parents de Brandon entrent dans le poste de police. Quand il les voit il se met à pleurer. Il n'arrive pas à se contrôler. Il pleure comme un bébé. Contrairement à la

maman de Justin, la maman de Brandon ne l'embrasse pas. La police explique le fait que Brandon a grimpé aux arbres et il n'a pas respecté le guide. C'est une infraction grave. Brandon n'a pas de réponse. Il sait qu'il a causé des problèmes. Il a grimpé aux arbres. Il n'a pas respecté le guide. Il est désolé et il est triste.

Un policier regarde Brandon et dit:

– Je vois que Brandon est un garçon qui se repent beaucoup. Était-ce une mauvaise décision ?

Puis il dit à Brandon:

– Tu promets de ne plus grimper aux arbres ?

– Oui, je le promets !

– Excellent ! Rentre à l'hôtel Frontenac avec ta famille –dit le policier.

– Merci, je promets que je respecterai les règlements ! –lui répond Brandon.

Brandon et ses parents sortent du poste de police en silence.

Chapitre 10:
Les surprises

La famille de Brandon passe sept jours entiers dans le bel hôtel. Tout se passe bien et il n'y a plus de problèmes !

Le jour où la famille sort de l'hôtel Frontenac, le papa de Brandon regarde la facture et dit : « *Films - $50.80 ?!* ». Il est très fâché.

– Braaaaandon ! –crie son papa–. Tu as re-

Hotel Frontenac
facture finale

Date d'arrivé - 10 mars

Date de départ - 16 mars

tarif journalier - $139 x 7 = $973

4 films - $50,80

10 mars: Hunger Games - $12,70

10 mars: Iron Man - $12,70

10 mars: Batman - $12,70

10 mars: Harry Potter - $12,70

sous-total - $1023,80

taxe 10% = $102,38

Montant Total - $1126,18

gardé 4 films le soir où nous sommes arrivés à l'hôtel Frontenac ? Je comprends maintenant pourquoi tu étais si fatigué pendant la visite ! Tu as causé tous ces problèmes parce que tu as regardé ces films !!

– Pardon papa. Je suis désolé. Maman avait raison, c'était pas une bonne idée de regarder ces films. C'était irresponsable de ma part. C'était une mauvaise idée.

– Oui, Brandon, tu as été très irresponsable. –lui dit son papa, très irrité.

Puis, la famille de Brandon se prépare à sortir de l'hôtel. Cinq minutes plus tard le chauffeur de l'hôtel arrive. Les gens montent dans le bus et le bus part. Brandon voit que la famille de Justin est dans le bus ! Quelle coïncidence ! La maman de Justin s'exclame :

– Brandon, Super ! Tu as retrouvé ta famille !

Elle regarde la maman de Brandon et continue :

– Pardon, je suis désolée pour les problèmes que les garçons ont causé dans toute l'île d'Orléans pendant notre visite. Ha les garçons !

– Dans toute l'île ? –s'exclame la maman de Brandon, choquée–. Brandon n'a pas parlé d'autres problèmes ! Il a grimpé aux arbres… mais de quels autres problèmes parlez-vous ?

La maman de Justin a un document en main.

C'est le document du responsable de la visite guidée. Elle le donne aux parents de Brandon.

Tours Vieux Québec

2715 boul. Louis-XIV - Québec, Qc, Canada, G1C 5S9
Par téléphone: 555-555-5555
Notre ligne sans frais 1-800-555-5555
Par télécopieur: 555-555-5555
Par courriel: informations@toursvieuxquebec.com

Nous vous informons par cette lettre que votre famille ne sera plus autorisée à voyager sur notre Compagnie Tours Vieux Québec. Votre fils Justin et son ami Brandon n'étaient pas suffisamment surveillés et ont posé beaucoup de problèmes : ils

- se sont moqués des gens à l'intérieur de la chocolaterie.
- ont dérangé les pêcheurs dans l'étang à truites.
- ont nagé dans la rivière.
- ont mis le feu dans la forêt et ont causé un incendie.
- ont grimpé aux érables.
- ont manqué de respect envers le guide.

En bref, votre famille a perdu tous les privilèges qu'offre Tour Vieux Québec.

Cordialement,

Monsieur Dylan Saint-Michel

Responsable d'activités, Tour Vieux Québec

Quand ses parents voient la liste des infractions, ils se fâchent. Brandon est très nerveux !!! *« Je serai probablement privé de télé pendant longtemps ! »*, pense-t-il. Les parents de Brandon lisent la lettre et jettent un regard furieux sur Brandon et crient :

– Braaaaaaandon !!!

Glossaire

à - to, at
a - has (s/he)
absolument - absolutely
accepte - accept(s)
accumulé - accumulated *(adj./pp)*
activités - activities
admettre - to admit
adresse - address
adulte - adult
agressif - agressive
ai - have (I)
aider - to help
aller - to go
allez - you *(pl.)* go
allons - we go
alors - so, then
aime - like(s)
ami(e) - friend
américain - American
amusant - funny
amuser - to have fun
amusez-vous - you *(pl.)* have fun
anglais - English
anniversaire - birthday
annonce - annonce(s)
ans - years
appelle - call
approche - approaches
après - after
arbre - tree
arrive - arrive(s)
arrivé - arrived *(adj.)*
arrivent - they arrive
arrête - stops
arrêter - to stop
artistes - artistes
as - have (you fam.)
attention - watch out, attention
attentivement - attentively
attire - draws, attracts *(adj./pp)*
attrapent - caught (they)
attraper - to catch
au - to the
aussi - also
aussitôt - as soon as
autorisé - authorized *(adj./pp)*
autoritaire - authoritative
autour - around
autre - other
aux - to the; at the
avait - had; was having (s/he)

avancentent - advance (they) *(adj./pp)*
avec - with
aventure - adventure
avoir - to have
bébé - baby
beaucoup - a lot
beau(x) - handsome, beautiful
bel(s) - handsome, beautiful
belle(s) - beautiful
bien - well
bizarre - strange, odd
bizarrement - strangely, oddly
bloqué - stuck, blocked *(adj./pp)*
boire - to drink
bon - good *(m.)*
bonjour - hello
bonne - good *(f.)*
bouilli - boiled *(adj./pp)*
boutiques - shops
bras - arms
bref - briefly
bruit - noise
brusquement - abruptly, suddenly
cabane - cabin
cacher - to hide
cadeau - gift, present
cailloux - pebble, stone
calme - calm
cause - cause
causé - caused *(adj./pp)*
causer - to cause
ce - this
celle(s) - the one(s) *(f.)*
celui - the one (m.)
certainement - certainly
ces - these
c'est - it is
cet - this (before a masculine singular noun that begin with a vowel) ex : cet été
c'était - it was
cette - this *(before a feminine singular noun)* [ex : cette fille]
chacun - each one
chambre - bedroom
chance - luck
chaque - each
chaud - hot
chauffeur - driver
cherche - looks/looking for; search/searching for
chercher - to look for; search for
chinois - Chinese
chocolaterie - chocolate shop
choix - choice

choqué - shocked *(adj./pp)*
choses - things
cinq - five
clair - clear
célèbre - famous
comique - funny
comme - as; like
commence - starts, begins
comment - how
compagnie - company
complètement - completely
comprend - understand
comprends - I understand
compris - understood *(adj./pp)*
concentré - concentrated; condensed *(adj./pp)*
coïncidence - coincidence
connu - known *(adj./pp)*
consulte - consults
content - happy
continue - continues
continuent - they continue
continuons - we continue
contraire - opposite
contrairement - contrary to; unlike
contrôler - to control
cordialement - warmly, sincerely, cordially
coup - knock, blow, bang
courent - they run
courons - we run; let's run
courriel - e-mail
crie - yells
crient - they yell
criminel - criminal
ça - that
ça va ? - how's it going?
d'accord - okay
d'ailleurs - incidentally
dangereux - dangerous
dans - in
de - of, from
debout - standing on one's feet, upright
dedans - inside
demain - tomorrow
demande - asks
dernier - last
derrière - behind
des - some
descendre - to descend
descend - descends
descendre - to descend
deux - two
deuxième - second
devant - in front
décide - decides
décident - they decide

décision - decision
découvre - discover(s)
découvrir - to discover
défense - defense
déjà - already
délicats - delicate
délicieux - delicious
dérange - bothered *(adj./pp)*
désobéit - disobeys
désolé - sorry *(adj.)*
détruit - destroys
directement - directly
dis - say (I)
discutent - they discuss
dit - says (s/he)
dit - says; said *(adj./pp)*
divisée - divided *(adj./pp)*
dix - ten
doigt - finger
donne - give(s)
dormi - slept *(adj./pp)*
dormir - to sleep
dort - sleeps
du - of the
elle - she
embarrassé - embarrassed *(adj./pp)*
embrassé - kissed *(adj./pp)*
embrasse - kisses
en - in, some
encore - again
endormi(e) - asleep *(adj./pp)*
s'endormir - to fall asleep
s'endort - falls asleep
endroit - place, spot
enfants - children
enfin - atlast, finally
ensuite - then, afterwards, next
entend - hears
entendu - heard *(adj./pp)*
entier - entire
entre - enter(s)
entré - entered *(adj./pp)*
envers - towards
es - is (tu)
escargots - snails
est - is
et - and
être - to be
eu - had, got *(adj./pp)*
eux - them
exaspéré - exasperated *(adj./pp)*
exclamé - exclaimed *(adj./pp)*
existaient - were existing
expliqué - explained *(adj./pp)*
expliquait - was explaining
explore - explored *(adj./pp)*
explorer - to explore
échappé - escaped *(adj./pp)*

échappent - escape (they)
échapper - to escape
écoute - listens
écouter - to listen
également - equally
érable - maple
étang - pond
évaporé - evaporated *(adj./pp)*
facture - bill
faim - hunger
faire - to do
fais - do
faisons - we do
fait - does
fait - did *(adj./pp)*
fameuse - famous
famille - family
fascinante - fascinating
fascine - fascinated *(adj./pp)*
fatigué - tired *(adj./pp)*
faux - false
fâché - angry *(adj./pp)*
ferme - farm
feu - fire
fille - girl
filles - girls
film - film, movie
fils - son
fin - end
finalement - finally
flamme - flame
fleurs - flowers
fleuve - river
fois - time *(count of instances ex: one time, two times)*
fontaine - fountain
forestiers - rangers
fort - strong
forêt - forest
fortifications - fortifications, ramparts
frais - cool
français - French
front - forehead
frustré - frustrated *(adj./pp)*
furieux - furious
gardes - guards
garçon - boy
gens - people
gestes - gestures
génial - brilliant, great, fantastic !
goûter - to taste
grand - tall, big
gratuitement - freely
grave - serious
grimpé - climbed *(adj./pp)*
grimpe - climbs
grimper - to climb

grosse - large
groupe - group
guidé - guided *(adj./pp)*
habituel - regular, customary
heure - hour
heureusement - happily
histoire - story, history
historique - historical
home - man
homes - men
hôtel - hotel
ici - here
idée - idea
il - he
il faut - it is necessary
ils - they *(masc.)*
il y a - there es, are
imitations - imitations
imite - imitates (s/he)
imite - imitate (they)
immédiatement - immediately
impressionné - impressed *(adj./pp)*
incendie - fire, blaze
indépendant - independent
informations - information
infraction - violation
insert - inserts
insiste - insists (s/he)
installé - *(adj./pp)* installed, settled in
intérieur - interior
interrogatoire - questioning
interrompt - interrupts
intéresse - interests *(v.)*
intéressant - interesting
irresponsable - irresponsible
irrité - irritated *(adj./pp)*
j'ai - I have
j'aime - I like
je - I
jean - jeans
jette - throws (s/he)
jettent - throw (they)
j'offre - I offer
jour - day
journée - daytime
juste - fair, just
là - there
la - it (fem.)
laissé - left *(adj./pp)*
laisse - leaves
le - it *(masc.)*
île - island
l'eau - water
les - the (pl.)
lettre - letter
leur - to them, their
lève - raise(s) up

libre(s) - free *(adj.)*
ligne - line
liquide - liquid
lisent - read (they)
liste - list
lit - bed
lit - reads (s/he)
longtemps - a long time
lors - while
loupe - magnifying glass
lu - read *(adj./pp)*
lui - to him; to her
ma - my
magique - magic
magnifique - magnificent
main - hand
maintenant - now
mais - but
maison - house
mal - bad, evil
malchance - bad luck
maman - mom
mange - eats
manger - to eat
manière - manner
manqué - lacked, missed *(adj./pp)*
marche - walks
marcher - to walk
matin - morning
mauvaise - bad, wrong, incorrect
mécanicien - mechanic
mécanique - mechanical
méchant - mean, naughty
me - to me, me
membre - member
même - even; same
merci - thank you
mes - my
mesdames - ladies
messieurs - gentlemen
miam - yum
micro - microphone
mis - put *(adj./pp)*
moi - me
mon - my
monsieur - sir
monte - mount(s); climb(s); goes up
montent - mount, go up (they)
monter - to go up, to mount
montrait - was showing
moque - mock(s)
moqués - mocked *(adj./pp)*
morceaux - piece
moteur - motor
mère - mother
nagé - swam *(adj./pp)*
nager - to swim

nécessaire - necessary
nerveusement - nervously
nerveux - nervous
ne, ni - neither, nor
non - no
nos - our
notre - our
nous - we
nouvel - new
nuit - night
où - where
ou - or
obéir - to obey
objet(s) - object(s) *(n.)*
observe - observe(s)
observer - to observe
occupé - busy *(adj./pp)*
odeur - aroma
offert - offers *(v)*; offered *(adj./pp)*
offrait - was offering
ont - they have
ou - or
oui - yes
ouvert - opened *(adj./pp)*
pancarte - sign
panique - panic
papa - dad
par - by, through
paralysé - paralyzed*(adj./pp)*
parce que - because
pardon - excuse (me); forgiveness
parlait - was speaking
parle - speaks
parlé - spoke, spoken *(adj./pp)*
parler - to speak
parmi - among
part - leaves
partent - leave (they)
participants - participants
partir - to leave
partout - everywhere
pas - not
passagers - passengers
passe - passes
passé - passed *(adj./pp)*
passer - to pass
pauvre - poor
payer - to pay
pêche - fishes *(v)*; fishing *(n)*
pêcher - to fish
pêcheurs - fishermen
pendant - during
pendent - hang (they)
pense - think(s)
perché - perched *(adj./pp)*
perdu - lost *(adj./pp)*
personne - no one

petit - little, small
peu - a bit, a little
peur - fear
peux - can
pied - foot
pierre - stone
plaît - pleases
plateau - platter
pleure - cry, cries
pleurer - to cry
poche - pocket
policier - police officer
poliment - politely
populaire - popular
porte - door
posé - posed, placed *(adj./pp)*
poste de police - police station
possibilités - possibilities
postale - postal
pour - for
pourquoi - why
père - father
premier - first
prend - takes
prendre - to take
presque - almost
préféré - preferred *(adj./pp)*
préfère - to prefer
prépare - prepare(s)
près - near
pris - took; taken *(adj./pp)*
privé - deprived *(adj./pp)*
privilèges - privileges
probablement - probably
problème - problem
prochain - next
profiter de - to take advantage, profit from
programme - itinerary, schedule, program
promenade - walk, stroll, ride
promets - promises
protégés - protected *(adj./pp)*
province - province
provoquer - cause, provoke
puis - then
quand - when
quatre - four
que - what, that
quel(le) - which
quelques - a few
qui - who
quoi - what
raison - reason
ramassent - pick up (they)
rapidement - quickly
rappelle - calls back, recalls
reçoit - receive
redescend - descends again
regarde - watches, looks at

regarde - watches
regardé - watched *(adj./pp)*
regarder - to watch
remarque - notices
remonte - goes up again, goes higher
remonter - to go up again, to go higher
rencontré - met, encountered *(adj./pp)*
rendre - to render, to give back
rentre - goes back
rentrer - to go back
repense - think over; thinks again
repent - repents
représentant - representing
respect - respect
respecté - respected *(adj./pp)*
respecter - to respect
respecterai - I will respect
respectueux - respectful *(adj.)*
responsable - responsible
ressemble - looks like
reste - remains, stays
rester - to stay, to remain
retrouvé - found again *(adj./pp)*
retrouver - to find again
revoit - sees again
réalité - reality
réellement - really, actually
règlements - rules, regulations
règles - rules
réparation - repair
réparer - to repair
répond - responds
réponse - response
répète - repeats
réveille - wake(s) up
ridicule - ridiculous
rien - nothing
rivière - river
rochers - rocks
route - route
s'appelle - is called
s'approche de - approaches
s'aventurer - to venture off/in
s'écrie - exclaims
s'endormir - to fall asleep
s'endort - falls asleep
s'exclame - exclaims
s'imagine - imagines
s'imaginait - was imagining
s'installe - settles in
sa - his/hers *(fem.)*
sans - without
sarcastique - sarcastic
savent - know (they)
seau - bucket, pail

semble - seems
sept - seven
sera - will be
serai - I will be
serpents - snakes
ses - his
seul - alone
seulement - only
sévère - severe
si - if, so, yes
signe - sign
sirop - syrup
situé - situated *(adj./pp)*
soir - evening
soit - whether, either
soleil - sun
sommes - we are
son - his/her *(masc.);* sound
sonnette - bell
sont - are
sort - exits, goes out
sortent- exit, go out (they)
sortir - to exit, to go out
soudain - suddenly
sourire - smile
souvent - often
sérieux - serious
sucré - sweet *(adj.)*
sucre - sugar
suffisamment - sufficiently
suggère - suggested *(adj./pp)*
suis - am
suite - suite (large hotel room)
supermarché - super market
sur - on
sœur - sister
surveillés - watched *(adj./pp)*
tant - so much
tard - late
temps - time, weather
tendrement - tenderly
terre - earth
terrifié - terrified *(adj.)*
tes - your
télé - TV
télécommande - remote control
téléphone - telephone(s) *(v)*
téléphoner - to call on the phone
timidement - timidly
toi - you
toilettes - bathroom
tomber - to fall
ton - your
touche - touches
toujours - always
tour - tour
touristes - tourists
tous - all *(masc. pl)*

tout - all *(masc. sing.)*
tout de suite - right away; immediately
toute - all *(fem. sing.)*
toutes - all *(fem. pl.)*
tremblant - trembling
triste - sad
trois - three
trouve - finds
trouver - to find
très - very
truite - trout
tête - head
tu - you
tué - killed *(adj./pp)*
tuer - to kill
un(e) - a, an; one
va - goes
vacances - vacation
vais - I go
vers - towards
veulent - want (they)
veut - wants
veux - want (I, you)
évident - evident
vieille - old *(fem.)*
vieux - old *(masc.)*
ville - town, city
visite - a visit
visiter - to visit
vite - fast
vitesse - speed
voilà - there it is
voient - they see
voir - to see
vois - I see
voit - sees (s/he)
voiture - car
vont - they go
votre - your
vous - you *(pl.)*
voyager - to travel
voyous - delinquent
vrai - true
vraiment - really
vu - seen; saw *(adj./pp)*
youpi - yippee !

To read this story in past tense, please turn the book over and read from front cover.

(see above)